LES TROIS JEUNES FILLES DE VIENNE

ŒUVRES DE JACQUES DECREST

Les Enquêtes de M. Gilles.

Hasard. — Le Rendez-vous du dimanche soir. — La Petite Fille de Bois-Colombes. — L'Oiseau-Poignard. — La Vérité du Septième Jour. — Le Bal de la Montagne noire. — La Maison du Haut. — Six Bras en l'air.

Les Jeunes Filles perdues.

La Semaine des trois jeudis.

JACQUES DECREST

Les trois jeunes filles de Vienne

LE LIVRE DE POCHE

I

SOLEIL COUCHANT

« Vous ne pouvez pas me refuser de voir ce garçon! »

Gilles leva les yeux vers le ciel, qui était bleu, aussi bleu qu'il peut l'être à Paris.

« Par ce temps-là!

— Je vous demande seulement de le voir. Après vous ferez ce que vous voudrez. Il ne s'agit que d'un conseil.

— Vous m'ennuyez, mon vieux.

— Je le sais bien. »

Durand acheva son Pernod.

Il y avait une buée de poussière et de vapeurs d'auto sur le boulevard. Gilles regardait les passants d'un œil vague. Ce n'était pas encore la foule de six heures, la sortie des bureaux. La terrasse des Capucines était presque vide, mais les garçons étaient au port d'armes, prêts au coup de feu de l'apéritif.

« Alors? »

Gilles regarda sa montre. Cinq heures trente-cinq.

« Vous avez de la chance que Françoise remplace une camarade cette semaine. Elle ne sort qu'à sept heures. »

Il se leva.

« Où habite-t-il, votre ami?

— Rue Descombes, à deux pas de la place Péreire.

— Allons. »

Rue Tronchet, le taxi manqua d'écraser un vieil homme.

« Au fait, demanda Gilles, pourquoi n'avez-vous pas votre voiture? »

Durand grogna une phrase dans laquelle il était question de carburateur.

Gilles sourit pour la première fois.

« Tiens, je croyais que « Mademoiselle » n'était jamais malade! »

C'était piquer Durand au point vif, qui traitait son auto comme une bien-aimée, et ne souffrait pas qu'on lui dise que ce n'était pas la meilleure et la plus belle de toutes les Citroën de sa série. Cette fois, pourtant, il ne protesta pas.

« Je l'aurai demain », se contenta-t-il de murmurer.

Gilles eut un léger remords.

« Où l'avez-vous connu, ce... »

Il avait oublié le nom.

« Jean Maréchal?

— Oui.

— Chez Larquey.

— Je n'aime pas beaucoup les polytechniciens qui vont au tripot. Il vérifiait les lois du hasard? »

Durand haussa les épaules. Après l'auto, le baccara. Décidément, Gilles lui en voulait d'être venu le chercher.

« Je crois qu'il était dans une mauvaise période. Il avait perdu sa situation. Il avait besoin d'argent. Il en cherchait n'importe où.

— Et il gagnait?

— Non, il n'a pas gagné. »

Le taxi filait vite dans le boulevard Malesherbes désencombré par l'été. Presque toutes les fenêtres des vastes immeubles étaient fermées.

Gilles pensait qu'il avait encore une grande semaine de repos, avant de retourner quai des Orfèvres. Il y a trois jours, il était à Royan, avec tout l'océan devant lui, et Françoise toute la journée. Que faisait-il il y a trois jours, à pareille heure? Ah! oui, cette promenade à Pontaillac...

« C'est là. »

Une grande maison d'il y a vingt ans, avec une sorte de faune style gare de métro au-dessus de la porte en fer forgé.

Les persiennes étaient fermées. Mais on voyait quand même assez bien dans la pièce, le soleil couchant tapant en plein au travers. Une lumière chaude, d'un jaune foncé.

« Voilà, Maréchal, j'ai réussi à vous amener mon ami, le commissaire Gilles. »

C'était un grand garçon maigre, blond, le regard un peu myope.

Il resta debout un moment, pas très d'aplomb sur ses jambes, comme quelqu'un qu'on vient de réveiller. Ou intimidé, peut-être.

Sa main gauche refermait maladroitement le col de sa chemise de sport. Enfin, il tendit la main droite, brusquement.

« Je vous remercie. »

Une main chaude et sèche, qui serrait franchement. Gilles eut de la sympathie pour cette main. Maréchal tira une chaise, débarrassa un fauteuil d'un coussin qui traînait.

« Asseyez-vous. »

Lui-même resta debout, chercha des cigarettes.

Gilles s'habituait à la pénombre dorée. Il vit le divan bas, le rayonnage plein de livres, les papiers épars sur la vaste table noire dont un tiroir était entrouvert.

« Vous fumez? »

Du tabac noir. Il s'attendait à d'autres cigarettes, à cause de l'odeur qu'il y avait dans la pièce, une odeur un peu lourde, sucrée, qu'il avait sentie en entrant.

Jean Maréchal restait debout devant lui. Il le regardait un peu fixement, comme pour prendre un point d'appui sur son regard. Gilles eut la sensation que s'il détournait les yeux, il tomberait, ou qu'il se mettrait à pleurer. C'était cela. Il y avait des larmes derrière ces prunelles pâles, fixes, accrochées à lui avec une intensité qui l'empêchait de voir les autres traits du visage.

Il eut un instant de gêne, presque d'inquiétude. Cet homme-là ferait n'importe quoi. Et pourtant il restait là, interdit. C'était lui qui devait parler; et il ne disait rien. Peut-être ne dirait-il jamais rien si Gilles ne commençait pas.

« Notre ami m'a raconté...

— Oh! très brièvement. »

La voix de Durand, un peu haute, claire, remit les choses en place. Tout devint facile. La torpeur chaude se dissipa dans la pièce que la lumière du couchant semblait avoir touché d'un enchantement.

Jean Maréchal s'assit sur le divan, regarda autour de lui, frissonna.

« C'est une chose terrible, monsieur le commissaire.

— Je sais.

— Non, vous ne savez pas, vous ne pouvez pas savoir... »

Gilles l'interrompit.

« C'est ici?

— Oui.

— Vous aviez ce document depuis combien de temps?

— Quelques heures. On me l'avait remis dans l'après-midi

— Pour l'étudier chez vous?

— Non. C'est-à-dire... c'est une chose que nous faisons couramment. On nous donne un dossier à examiner. En principe, nous l'étudions au bureau. Mais comme il s'agit souvent de calculs très compliqués, très délicats, nous travaillons parfois chez nous. Là-bas, on est facilement dérangé.

— Je vois.

— C'est invraisemblable!... Je ne comprends pas. »

Il avait une voix sèche, qui se brisait par moments sur une note plus douce.

« Moi non plus, dit Gilles. Mais nous allons essayer de comprendre. »

Il avait prononcé la phrase avec tant de calme et de sûreté qu'il y eut immédiatement comme une lueur inconsciente de soulagement dans le regard de Maréchal. Une détente. Et puis aussitôt après quelque chose comme de la reconnaissance.

Gilles sentit qu'il était perdu, que ses huit jours

de repos, de paresse n'étaient plus qu'un espoir trompé.

« Voyons, dit-il plus durement, à quelle heure êtes-vous rentré?

— J'ai quitté la place Saint-Thomas-d'Aquin vers six heures.

— Quelqu'un savait-il que vous emportiez le dossier?

— Non, je l'avais placé dans ma serviette, que je conserve toujours et qui ferme à clef.

— Vous êtes rentré directement?

— Oui, en taxi. J'étais assez pressé; je devais m'habiller pour dîner en ville.

— Vous étiez donc rue Descombes vers six heures vingt?

— C'est probable. Je n'ai pas regardé l'heure à ce moment-là. Mais je sais que je suis reparti à sept heures moins cinq. J'ai consulté ma montre en descendant l'escalier pour voir si je n'étais pas en retard.

— Où aviez-vous laissé votre serviette?

— Sur cette table, là. »

Il désignait la grande table noire, couverte de papiers en désordre.

« Fermée?

— Non, ouverte.

— Vous en êtes sûr?

— Absolument. J'avais eu un coup de téléphone à donner en rentrant et j'avais cherché le numéro sur une lettre que j'avais emportée du bureau.

— Aucun rapport avec le document disparu, ce coup de téléphone?

— Aucun.

— Donc à sept heures, votre serviette est sur

cette table, ouverte. Combien de temps êtes-vous resté absent?

— Plus longtemps que je ne croyais. Je pensais être là vers minuit.

— Où avez-vous passé la soirée?

— A Montparnasse. Je ne suis rentré qu'à quatre heures.

— Et vous avez constaté à ce moment-là que la pièce manquait?

— Non. Le lendemain matin seulement. J'étais très fatigué, je me suis couché aussitôt. »

Gilles tenait en équilibre la cendre de sa cigarette pour qu'elle ne tombât pas. Il chercha du regard un cendrier, se leva. Une coupelle de verre brillait dans la lumière foncée, sur un guéridon bas, près du divan. Il la prit, retourna s'asseoir, la posa sur le bras de son fauteuil.

« Quelqu'un peut-il entrer dans votre appartement?

— Personne. C'est la concierge qui fait le ménage. Je lui laisse la clef le matin en m'en allant. Je la prend le soir dans la loge quand je rentre.

— Vous n'avez qu'une clef?

— Oui. »

Il y eut une ombre d'hésitation sur le visage du jeune homme.

« C'est-à-dire... non. Il y a une autre clef, mais... »

Gilles vint à son aide.

« La personne qui la possède est insoupçonnable?

— C'est cela. D'ailleurs...

— D'ailleurs?

— Cette... personne est restée avec moi toute la soirée.

— Il faut que je m'excuse, mais... vous êtes rentré seul? »

Il parut à Gilles que les yeux de Jean Maréchal devenaient plus clairs. Ces larmes, sans doute, qu'il avait devinées tout à l'heure et qui n'avaient pas coulé.

« Oui, je suis rentré seul.

— Savez-vous si la personne avec laquelle vous avez passé la soirée avait cette clef sur elle?

— Non, je ne sais pas.

— Est-ce probable? »

Maréchal eut soudain l'air égaré.

« Je ne comprends pas. »

Où était-il? Avec qui était-il?

« Je vous demande si cette dame porte habituellement votre clef sur elle? » demanda Gilles sans impatience.

La réponse vint lentement.

« Je ne crois pas. Plus maintenant...

— Bon. Nous verrons cela plus tard. »

Durand, qui n'avait pas dit un mot, eut un léger sourire. Il était certain maintenant que Gilles s'occuperait de son ami.

Gilles aperçut ce sourire du coin de l'œil : sa pensée bascula quelques secondes. Il revit le sable chaud sous le soleil, la mer brillante, Françoise. Quelle heure était-il? Pour rien au monde il ne voulait être en retard, et que Françoise fût fâchée. Diable! Sept heures moins vingt.

Il se leva.

« Durand m'a dit que vous attachiez une importance exceptionnelle à ce document? »

Jean Maréchal se leva à son tour. Il était grand. Gilles n'avait pas remarqué en entrant qu'il était si grand. Tout ce qui était mollesse en lui, ou fatigue, une certaine veulerie des gestes, la tête légèrement penchée sur le côté, l'incertitude du regard, disparurent. Encore une fois, il regarda Gilles dans les yeux, et Gilles subit l'attirance singulière des prunelles claires, des pupilles trop dilatées.

« Je donnerais ma vie pour le retrouver. »

Il avait parlé sans aucune emphase, sur un ton de vérité qui transformait la phrase banale, lui rendait son sens profond.

« J'espère bien que ce ne sera pas nécessaire, dit Gilles en lui serrant la main. Maintenant, excusez-moi, il faut que je me sauve.

— Je vous en prie.

— Où puis-je vous voir ce soir?

— A quelle heure? »

Gilles pensa que Françoise se coucherait sûrement assez tôt.

« Entre dix et demie et onze.

— Voulez-vous ici?

— Entendu. Je vous dépose, Durand? »

*

Ce fut Françoise qui sortit en retard de son bureau.

« Vous n'êtes pas fâché, dites? Vous comprenez, quand on rentre, on n'en sort pas des rapiapias. Il faut raconter, le temps, les gens, les flirts! »

Comme elle avait bruni! Là-bas, au grand soleil, la voyant tous les jours, cela ne paraissait pas. Mais à Paris, sous un chapeau plus sombre, c'était extraordinaire! Une autre Françoise presque, et tellement ravissante, couleur de brugnon.

« Non, je ne suis pas fâché.

— Et puis, vous savez, je vous ramène dîner à la maison.

— Comment cela, Françoise? C'est de la folie! Votre mère...

— Ma mère vous a à la bonne. Je ne sais pas comment vous avez fait, mais vous l'avez eue. Quant à mon petit frère, c'est de la folie. Il a parlé de vous tout le temps du déjeuner. Il veut être détective, Sherlock Holmes ou Maigret, pas moins. »

Gilles sourit de plaisir.

« Vous l'avez ensorcelé avec vos histoires! »

Ils suivaient les boulevards, vers la Madeleine.

« On remonte un peu à pied, hein? Jusqu'au Rond-Point. »

Il passa son bras sous le sien.

« Françoise chérie, racontez-moi. Pas trop de cafard que les vacances soient finies?

— Oh! là là. Si. A onze heures, ce matin, j'ai failli me mettre à pleurer en pensant à la plage, au bain. Et puis... »

Elle bavardait comme un oiseau.

Et Gilles marchait à côté d'elle, et l'écoutait. Il faisait merveilleusement beau. Le crépuscule tombait, lumineux, bleuté. Jean Maréchal avait dû ouvrir les persiennes, dans sa chambre, pour sentir le soir et sa fraîcheur. Curieux garçon. Quelle passion avait miné son énergie native, cette volonté qui apparaissait encore malgré le grand désarroi qui l'emportait? La femme à la clef? Bah!

Gilles auprès de Françoise, dans son odeur, dans

sa voix, avait beaucoup moins envie de savoir ce qu'était devenu le document volé. Quelle idée de s'embarquer dans cette histoire quand rien ne l'y forçait, quand il avait encore toute une semaine à passer loin de son bureau de la P.J.! C'était stupide, ce rendez-vous pour le soir.

« Françoise, est-ce que votre mère sera fâchée si je pars tôt après dîner? »

Elle s'arrêta net.

« Quoi?

— Oui. Je pensais que vous seriez fatiguée, que vous voudriez vous coucher de bonne heure. J'ai pris rendez-vous vers onze heures. »

Elle dégagea son bras, marcha plus vite.

« Vous savez, vous pouvez ne pas venir du tout. Je dirai... je dirai...

— Allons, petite fille, écoute-moi...

— Non. »

Il se tut, parce qu'il la connaissait bien. Et ce fut elle qui demanda, au bout de trois minutes.

« Qu'est-ce que c'est, ce rendez-vous?

— Marcel Durand.

— Connais pas.

— Si, le rédacteur à *L'Echo de France* avec qui nous avons pris un verre au café de la Paix, avant les vacances.

— Et puis après?

— Il m'a téléphoné cet après-midi pour me demander de m'occuper d'un de ses amis.

— Mais vous n'avez pas repris votre service.

— Justement. Il ne faut pas que la police soit officiellement mêlée à l'affaire. C'est une histoire de document volé, très curieuse.

— Je m'en fiche!

— Moi aussi.

— Tu mens!

— Mon amour, quand vous me dites « tu », je ne sais plus ce que je fais. »

Elle sourit. Et puis tout de suite soupira.

« Je vois ça d'ici. Vous allez partir pour le Kamchatka.

— Non. Pour la place Péreire. D'ailleurs, je ne sais pas du tout ce que je ferai.

— Moi, je le sais. »

Ils traversaient les Champs-Elysées, arrêtés sur le refuge par la file des autos qui montaient vers le bois. Le ciel était bleu foncé au-dessus d'eux, vert d'eau du côté de l'Etoile, avec juste une tache orangée sous l'Arc de triomphe.

Il reprit son bras, lui serra le poignet.

« Françoise, je t'adore. Allons jusqu'à l'Alma. On prendra un taxi. Il fait trop beau pour le métro. »

II

Z 392

La pièce n'avait plus du tout le même aspect.

Elle était plus grande, plus froide. Une lampe basse avec un abat-jour de métal éclairait d'une lumière crue un livre ouvert, des feuillets de papier blanc couverts de chiffres sur la table noire. Le reste était dans l'ombre.

« J'essayais de travailler un peu pour me calmer. »

Jean Maréchal souriait faiblement. Il avait encore sa chemise de sport fripée, sous une grande robe de chambre de flanelle grise.

Gilles ne disait rien.

La même odeur l'avait saisi en entrant, moins nette à cause de la fenêtre ouverte, mais tenace, sucrée.

« Vous fumez beaucoup? »

Maréchal secoua la cigarette qu'il tenait à la main.

« Oui. »

Gilles sourit.

« Non, pas ça.

— Ah? »

Il y eut un temps.

« Vous connaissez l'odeur?

— Pareille à nulle autre... »

Il plaisantait.

« Eh bien, non. Je fume très peu, très rarement. Quelqu'un aimait cela autrefois. C'est pour cela que je fumais. Maintenant, c'est fini. »

Il alla ouvrir un petit meuble.

« Vous pouvez me signaler. J'ai un matériel et un peu de drogue. »

Gilles haussa les épaules.

« Par exemple, cela m'ennuierait que ma pipe fût confisquée. Elle a une belle patine. Elle me rappelle des heures que je n'oublierai plus. »

Il caressait de la paume un long tuyau de bambou cerclé d'ivoire jauni par l'opium. Sa voix avait de brusques plongées de douceur.

« Hier, j'étais dans une telle détresse que j'ai essayé de fumer.

— Je le sais. L'odeur d'abord, et puis il y avait quelques grains de dross dans votre cendrier.

— Peut-être... Cela m'a détendu les nerfs. »

Il referma le meuble, vint s'asseoir en face de Gilles.

« Alors, commissaire, que dois-je faire? »

Son visage était dans l'ombre, mais ses yeux clairs brillaient.

« Tout. Je ne puis rien. Il faut que ce soit vous qui découvriez le coupable. Je suis hors du jeu. Ce que je puis faire, c'est diriger la partie, l'arbitrer.

— Je comprends mal.

— Ecoutez-moi... »

C'était un procédé familier de Gilles. Il parlait d'abord pour que les gens, tout naturellement, parlassent après lui.

« Dans un cas comme celui-ci, il y a toute chance à parier que la solution du problème est en vous, cachée quelque part, dans un coin de votre mémoire ou de votre inconscient. Vous ne la discernez pas pour plusieurs raisons : ou bien elle est si claire, si manifeste, que vous passez et repassez à côté sans la voir; ou bien elle est si profondément enfouie dans l'intime de vous-même que vous ne pouvez plus la découvrir; ou bien encore elle est au bord de votre conscience, mais un refoulement opère et vous la dissimule en dépit de votre bonne volonté, parce que cette solution vous serait pénible.

— Freud?

— Pourquoi pas? Tout n'est pas bon dans Freud, mais il y a de l'excellent.

— Alors quoi?... Vous voulez que j'écrive des mots au hasard sur un bout de papier... que je vous raconte mes rêves?

— Ce ne serait peut-être pas si sot... »

Gilles allumait une de ces « boyards maïs » qu'il fumait toujours. Il y avait eu un soupçon d'ironie dans le ton de Maréchal.

« Mais je ne suis pas psychanalyste, dit-il plus sèchement. Je vous ai dit cela, à vous, qui savez qui est Freud, pour que vous compreniez bien quels peuvent être mon rôle et le vôtre dans cette affaire. Je vous prie de croire que si j'avais à m'occuper d'un crime crapuleux, j'emploierais un autre langage.

— Excusez-moi, je suis idiot. Durand m'a dit qui vous étiez... »

Gilles l'interrompit.

« Peu importe. Vous vous rendrez compte que je ne sais rien, que je ne puis partir au hasard, à travers Paris ou le monde, à la recherche de quelques feuillets dont j'ignore l'importance, qui ils peuvent intéresser et pourquoi. Il n'y a que vous qui puissiez orienter mon enquête, et c'est ce que nous allons essayer de faire ensemble. »

Il regarda Maréchal encore une fois dans les yeux.

« D'accord?

— D'accord.

— Bon. Nous avons comme point de départ un seul fait précis. A sept heures moins cinq du soir, avant-hier, les documents sont dans votre serviette, sur cette table. Le lendemain matin, ils n'y sont plus. Personne, à votre connaissance, n'a pénétré dans votre appartement. La serrure ne montre aucune trace d'effraction.

— Non, j'ai regardé tout de suite.

— Moi aussi, avant de sonner, ce soir. Ça ne veut pas dire grand-chose. Un cambrioleur l'ouvrirait aisément sans laisser de trace. Une seule clef existe, en dehors de celle que vous aviez sur vous. Et vous n'avez pas quitté la personne qui la possède. Mais vous n'êtes pas certain que cette personne ait eu la clef sur elle ce soir-là. Autre question : quelqu'un d'autre connaît-il l'existence de cette seconde clef?

— Ma concierge, évidemment. Et peut-être la femme de chambre de cette dame.

— C'est tout?

— Je le pense.

— Comment êtes-vous certain que tout le monde ignorait que vous eussiez ce document chez vous?

— C'est très simple, mais il faut que je vous explique.

— Expliquez.

— Le dossier a été apporté par l'inventeur à la direction des Services de l'Artillerie, place Saint-Thomas-d'Aquin, vers cinq heures et remis directement au général Dormeuil. Immédiatement après, le général m'a fait appeler et m'a confié les documents, en me demandant de les étudier du point de vue de la défense nationale. C'est toujours comme cela que l'on procède. J'ai emporté les papiers dans mon bureau, où j'étais seul, je les ai rapidement feuilletés, et j'ai décidé de les confronter avec des notes que je possédais chez moi, touchant une invention similaire. J'ai mis la chemise dans ma serviette, et je suis parti quelques instants après.

— Vous ne vous souvenez pas avoir quitté votre bureau, entre le moment où le dossier vous a été confié et votre départ?

— Je suis sûr de n'être pas sorti.

— Personne au monde, excepté le général Dormeuil, ne sait donc que vous possédiez ce document?

— Non. »

Maréchal avait-il hésité? Peut-être pas. Peut-être était-ce la fumée des cigarettes qui mit, l'espace d'une seconde, un voile léger entre son regard et celui de Gilles.

« Cette invention, si elle est contrôlée, est-elle d'une importance exceptionnelle?

— Oui. Il s'agit d'un gaz extrêmement nocif et que nous cherchions depuis longtemps, le Z 392.

— Une puissance étrangère a donc intérêt à s'emparer de ce secret?

— Sans aucun doute. »

Gilles se tut pendant quelques secondes. Il se leva, se mit à marcher de long en large.

« Pourquoi n'avez-vous pas averti immédiatement votre chef? C'est très grave. »

Il ne regardait plus Maréchal au visage. Le cône de lumière vive éclairait le bas du corps du jeune homme, le coupait en deux. Il regardait ses mains croisées sur le genou. Des mains longues, aux doigts légèrement carrés, avec des ongles soignés, coupés ras; presque des mains de musicien.

« Je le sais.

— Qu'est-ce que vous risquez? Votre carrière? »

La voix ne broncha pas. Elle parvint à Gilles, nette, tranquille, assurée.

« Si ce vol est rendu public, je me tuerai. »

Les mains n'avaient pas bougé.

*

« Voulez-vous boire? »

Il y avait eu un petit silence. Et puis Maréchal s'était levé. Il avait tourné un commutateur. Une lumière plus douce venait maintenant d'une grosse lampe voilée, près du divan.

« Whisky, fine?

— Whisky. »

Il sortit un instant, revint avec deux « tumblers », une bouteille carrée de *Red Label,* un siphon.

« Je n'ai pas de glace. Mais l'eau est fraîche. »

Gilles savait qu'il y avait autre chose. Autre chose que le Z 392, qu'une formule de gaz, que l'on pouvait modifier peut-être pour rendre le vol inutile. Ces prétendus secrets de défense nationale, ils passaient entre tant de mains, que c'étaient la plupart du temps des secrets de polichinelle. Autre chose, mais quoi? Mais qui, plutôt? La femme à la clef? Il songea tout à coup que si lui-même était compromis et que Françoise pût être soupçonnée, il aimerait mieux... Il eut soudain comme un élan d'amitié pour ce grand garçon qui avait dû déjà souffrir, et qui souffrait, avec sans doute une seule image dans le cœur. Il voulut l'aider, le sauver malgré lui-même.

« Voulez-vous que nous reparlions de Freud?

— Si vous y tenez.

— Oui. Je voudrais que vous vous rendiez compte que jusqu'à présent vous ne m'avez rien dit. Je ne vous connais pas. Dans votre désarroi des premières heures, vous vous êtes adressé à Marcel Durand parce qu'il était journaliste, et que vous pensiez qu'il vous donnerait une bonne adresse de détective privé. Il savait que je rentrais à Paris, que j'avais quelques jours de loisir avant de reprendre mon service à la Police judiciaire, il nous a présentés l'un à l'autre. C'est bien. Vous ne me connaissez pas plus que je ne vous connais.

— Si.

— Oui, vous avez lu mon nom dans les journaux, mêlé à celui de quelques criminels, avec des éloges décernés par des reporters à qui j'avais donné des renseignements pour leurs articles. Qu'est-ce que cela veut dire? Et maintenant que vous êtes plus calme, que vous envisagez la situation comme un homme, comme un officier, vous me dites que vous vous tuerez si je ne réussis pas. C'est bien cela, n'est-ce pas?

— Exactement.

— Soit. Vous vous rendez compte aussi que j'agis à titre privé, que je ne puis rien exiger de vous.

— Mais...

— Ça va bien. J'accepte. Seulement, d'homme à homme, je puis vous dire : je ne veux pas de réticences, je ne veux pas de refoulement conscient. »

Le regard de Maréchal vacilla.

« Je ne comprends pas.

— Si. Vous avez hésité à me répondre « non », tout à l'heure, quand je vous ai demandé si personne au monde ne savait que vous possédiez le dossier du Z 392.

— Vous vous trompez. J'ai réfléchi, je n'ai pas hésité.

— Si vous voulez, mais ça revient au même. Vous avez réfléchi que la personne qui savait le document entre vos mains ne pouvait en aucune manière être mêlée à l'affaire et qu'il était inutile de m'en parler. »

Cette fois Maréchal eut presque un sourire.

Et ce fut pendant qu'il souriait que le téléphone sonna.

« Excusez-moi. »

L'appareil portatif était posé sur le tapis, près du divan.

« Allô.. Oui, bonjour... comme ça... non, j'ai quelqu'un avec moi... non, non, un camarade... Non, pas du tout... »

Le récepteur devait être très sonore. Gilles entendait la voix inconnue, comme un murmure lointain, à la fois indistinct et précis. Il ne comprenait pas les mots, mais le son s'inscrivait dans son oreille comme une ligne ténue, comme un diagramme avec ses courbes, ses angles brisés.

« Mais oui, naturellement... Quelle heure est-il?... Minuit moins dix... Voulez-vous à minuit et demi... Où vous voudrez... Comme l'autre jour?... Entendu... A tout à l'heure. »

Maréchal s'était assis sur le divan pour téléphoner. Il se leva. Gilles avait les yeux fermés.

« Pardonnez-moi... Vous me disiez une chose juste. »

Gilles ouvrit les yeux.

« Ah! oui... »

Pensait-il à autre chose?

« Je m'excuse de mon manque de franchise. »

Gilles eut un geste vague.

« Et je vais être tout à fait franc. Je préférerais... la solution du revolver... plutôt que de voir mêler une certaine personne à cette histoire.

— C'est bien. »

Gilles vida son verre d'un trait.

« Je vais vous laisser. Vous avez à sortir...

— Voulez-vous me donner le temps de m'habiller! Je puis vous déposer.

— Merci. J'ai moi-même un rendez-vous. »

Sur le seuil, Maréchal garda la main de Gilles dans la sienne.

« Commissaire, vous me comprenez? »

Il y avait une angoisse voilée sur les traits volontaires, dans les yeux où la myopie semblait intermittente. Un remords, peut-être.

« Quel âge avez-vous? demanda Gilles.
— Trente-six ans.
— Je vous croyais plus jeune. »

*

Le sauver malgré lui-même!

Gilles marchait vite. Au coin de la place Péreire, il entra dans un tabac, demanda *L'Echo de France* au téléphone.

« Allô, monsieur Marcel Durand, je vous prie... c'est personnel... »

Un haut-parleur éclata dans la salle de consommation. Une sorte de polka pour 14 Juillet.

Gilles prit l'autre écouteur.

« Allô, Durand? Vous en avez encore pour longtemps?... Attendez-moi, je passe vous prendre... Oui... je vous raconterai ça... »

La polka le poursuivit jusqu'au coin de l'avenue de Villiers.

Le sauver, malgré lui-même.

Gilles avait cette idée-là, maintenant, dans la tête. Il ne discutait plus sa sympathie pour ce grand garçon résolu, affaibli de passion. Il mentait, mais il croyait que c'était bien de mentir. Il avait une raison qui était plus forte que la raison, plus forte que la vie. C'était magnifique! Depuis longtemps, Gilles cherchait une chose qui lui parût valoir la peine de sacrifier sa vie. Et celui-là l'avait trouvée. Et il n'avait pas l'air de considérer que c'était idiot. Magnifique! Gilles savait bien qu'il donnerait sa vie avec joie pour sauver Françoise, mais il savait aussi qu'en le faisant, il dirait : « C'est idiot. » Pour un peu, il eût envié Maréchal. Comment avait-il vécu jusqu'à présent?

« Hep! »

Gilles s'engouffrait sous la porte de *L'Echo de France,* sans voir que Durand l'attendait sur le trottoir.

« Où allons-nous?

— Je ne sais pas encore. Quelque part à Montparnasse. Chauffeur, prenez le boulevard Raspail. Je vous arrêterai. »

Ah çà! Est-ce que ce jeune capitaine affecté au Détachement Z croyait garder longtemps son secret?

« Mon vieux, je vous expliquerai après. Dites-moi tout ce que vous savez sur le capitaine Jean Maréchal.

— Pas grand-chose d'essentiel. Je vous ai dit que je l'avais connu au cercle; et puis, je me suis lié avec lui au moment d'une enquête que j'ai faite l'année dernière sur la « guerre des gaz ».

— Je me souviens.

— Il m'a « tuyauté » avec beaucoup de complaisance et de soin. Tout ce qui était bien dans mes papiers venait de lui, il est très fort. Depuis nous avons continué de nous voir quelquefois pour prendre un verre, bavarder.

— Ça ne me suffit pas. Quelle origine?

— Bourgeoise, sûrement. Je crois qu'il est né quelque part entre Cahors et Toulouse. Son père était officier; il m'a dit qu'il était mort jeune. Je ne sais pas s'il a encore sa mère.

— Fortune?

— Non, certainement pas. C'est pour cela qu'il a tenté sa chance dans le civil.

— Comment?

— Oui, quand je l'ai connu, il était ingénieur

à l'usine Béliard. Vous savez, produits chimiques et engrais. Il avait demandé le congé de trois ans auquel il avait droit. A propos, j'ai oublié de vous dire qu'il mettait dix mille francs à votre disposition pour vos frais d'enquête. Il a ajouté : « Je « ne peux pas plus. » Je pense que c'est tout ce qu'il a devant lui. »

Le taxi traversait la place du Carrousel. Un long collier de lumières montait jusqu'à l'Arc de triomphe dans la nuit claire d'août.

« Ça vous suffira?

— Oui, oui. »

Gilles regardait malgré lui l'admirable panorama urbain.

Il attendit d'être sous le guichet du Louvre pour demander :

« Pourquoi a-t-il quitté l'usine Béliard?

— Je ne sais absolument pas. Je l'ai perdu de vue quelques semaines à ce moment-là. Quand nous nous sommes retrouvés, il était à la Directoin générale de l'Artillerie. Il m'a donné des raisons vagues.

— Durand, mon bon, on ne voit plus guère votre signature, ces temps-ci. Vous ne croyez pas qu'une belle enquête sur les colorants...

— Quoi?

— Oui, une petite interview de Béliard, par exemple, pour amorcer... »

Le journaliste réfléchit une seconde.

« Pourquoi n'y allez-vous pas vous-même?

— Pour que tout le monde raconte quarante-huit heures après qu'il y a « une affaire Maré« chal »?

— Juste. J'y penserai. »

Gilles regarda l'heure. Minuit vingt-cinq.

« Chauffeur, arrêtez au coin du boulevard Montparnasse. »

*

La foule hétéroclite faisait son va-et-vient devant les terrasses entre la Coupole et le Dôme. Les mêmes jeunes gens avec des cols trop bas rabattus sur des nœuds de cravate trop larges passaient et repassaient. La nuit était encore très chaude. Des provinciaux, le front moite, attendaient debout qu'une table fût libre, en se poussant du coude quand une fille à béret, née à Helsingfors ou à Detroit, les frôlait.

« Il est un peu tôt, dit Gilles. Promenons-nous. »

La vitrine de Baumann ruisselait comme un aquarium. On s'étonnait que des poissons rouges ne nageassent pas entre les corbeilles de roses.

Gilles avait envie d'envoyer des fleurs à Françoise. Que penserait sa mère? Après tout, on l'accueillait. Il y avait dîné le soir. C'était cousu de fil blanc, mais ils n'étaient pas officiellement fiancés. Ce serait peut-être mal pris. Il entra quand même, choisit six « Maréchal Niel » et donna l'adresse de Mme Herlin. Françoise comprendrait que c'était pour elle. Et sa mère aussi.

Durand faisait les cent pas sur les boulevards. Gilles le rejoignit.

« Allons, maintenant.

— Où?

— Je voudrais bien le savoir. Partout, pour commencer. »

Durand acquiesça sans répondre. Il savait que Gilles avait horreur des questions.

Ils entrèrent à la Coupole, firent le tour de la salle bondée. Au fond, près des lavabos, il y avait quelques tables inoccupées. Un garçon se précipita.

« Combien de personnes? »

Gilles l'écarta.

« Nous cherchons des amis. »

On étouffait. Ils sortirent.

Les provinciaux étaient enfin assis devant des demis qu'ils n'osaient pas boire, parce qu'un peintre chevelu dessinait le groupe, de peur de perdre la pose.

Au Dôme, il y avait autant de monde.

Gilles circulait d'un pas nonchalant, traînait.

« Lui ne sera certainement pas en retard, pensait-il, mais elle? »

Après tout, ils resteraient ensemble une heure au moins. On ne fait pas sortir quelqu'un à minuit et demi pour le laisser tomber vingt minutes après. Il avait plus de temps qu'il n'en fallait pour faire toutes les boîtes de Montparnasse.

Où pouvaient-ils être?

Ils traversèrent pour aller à La Rotonde.

Il y avait presque autant de voitures sur la chaussée que de passants sur le trottoir. Les taxis maraudaient, tournaient comme dans un manège.

Durand risqua.

« Qui cherchons-nous?

— Une femme. »

La Rotonde était presque vide, triste, d'un autre âge.

« On prend un verre? demanda Durand. J'ai soif.

— Non, plus tard. »

Durand regardait le petit escalier qui montait au dancing du premier.

« Je me suis bien amusé là-haut, dans le temps. Maintenant, la Rotonde a l'air d'une grand-mère, auprès des autres. »

Il parlait pour lui tout seul. Gilles était déjà dehors.

Ils tournèrent au coin du boulevard Raspail, descendirent la rue Vavin.

Devant le Viking, un roadster Ford était rangé le long du trottoir. Vert clair, avec des coussins de cuir rouge. Gilles avait toujours eu envie d'un roadster Ford. Il regarda la voiture un instant. Ravissante, vraiment.

Sur la portière, deux initiales minuscules : E. R.

« Entrons », dit-il.

Il s'assit directement au bar, ne regarda personne.

« Que voulez-vous boire, Durand? De la bière de Norvège?

— Pourquoi pas? »

Il tendit son porte-cigarettes à son compagnon, se pencha vers lui.

« Nous sommes là par hasard, murmura-t-il. Et ne vous retournez pas tout de suite. »

III

LA DAME À LA CLEF

Elle était couleur de rose et de fumée. Extrêmement belle, sans que l'on sût pourquoi, sans que ses traits eux-mêmes fussent beaux. Le nez retroussait trop, la bouche était trop grande. Mais il y avait cette couleur qui était en elle, qui sortait d'elle comme une lumière.

Sur la boiserie sombre du bar, sa robe de jersey jaune faisait une tache claire, plus claire que son visage, et que ses cheveux reprenaient plus haut, comme un reflet. Elle buvait à petits coups, dans un grand verre, une boisson opaque.

Gilles la regardait, sans paraître faire attention, l'air absorbé dans sa conversation avec Durand. Maréchal leur tournait le dos, il ne les avait pas vus. Quand il se penchait un peu plus vers elle, on apercevait son profil perdu.

« Vous comprenez bien que c'est enfantin... il crâne, il fume l'opium, il s'étourdit avec des équations, mais à chaque pas, il bute contre la même évidence. Et il ment. Il ment pour lui autant que pour moi. »

Il n'y avait presque personne. Deux ou trois couples dans les boxes du fond qui ne s'occupaient de rien. Pas très loin d'eux, un homme d'un certain âge, blafard, presque albinos, regardait la porte, sans bouger, un verre plein devant lui qu'il ne buvait pas.

Gilles parlait presque bas. Le barman s'était assis à l'autre bout du comptoir de bois pour lire un journal suédois.

« C'est le seul point sur lequel il mente. Ça me suffit. Je n'ai plus besoin de lui. »

La femme, de temps en temps, souriait aux paroles de Maréchal. Ses dents brillaient. Elle avait pour sourire un mouvement des lèvres, à la fois sensuel et puéril, à quoi l'on résistait mal. Alors, on oubliait ses yeux, couleur de fumée, son front pur sous les ondulations d'or pâle.

Durand se retourna, posa sur elle un instant un regard indifférent.

« Oui », dit-il seulement.

Gilles se taisait, ne la regardait plus. Il écoutait le son de sa voix quand elle parlait. Le même murmure lointain, le même timbre un peu rauque, chantant, qu'il avait perçu comme une ligne sonore, tout à l'heure, rue Descombes. Il essayait d'identifier l'accent.

« Russe? »

Il y eut des éclats de rire dans la rue, des voix mélangées.

« *Let us have an* « *Alexandra* »...

— Non, non... c'est assommant... il n'y a pas de musique.

— *Come... come...* »

Un garçon s'avançait déjà.

La porte fut entrouverte puis refermée bruyamment.

« A la Boule-Blanche, à la Boule-Blanche... »

Durand attendit qu'il y eut de nouveau le silence.

« Je ne crois pas », dit-il.

Gilles imaginait la femme au volant du roadster, le vent dans les cheveux pâles, avec ce sourire, peut-être, à cause du plaisir de la vitesse. « La solution du revolver, plutôt que... » Il comprenait. L'image de Françoise s'interposa une seconde. Il s'en voulait d'être sensible à la beauté des femmes.

*

Il y avait près de trois quarts d'heure qu'ils étaient là. L'albinos qui regardait la porte avait payé son verre plein et était parti sans le boire.

Maréchal parlait toujours, presque sans arrêt, sans rien voir autour de lui, sans se retourner. « Comme s'il avait peur de se taire », pensait Gilles. La femme quelquefois souriait. Devant elle, le grand verre était vide. Elle avait fumé presque toute une boîte de « Greys ». Quatre ou cinq bouffées, et elle écrasait la cigarette dans le cendrier, en rallumait une autre.

Durand bâilla.

« Et puis après? demanda-t-il.

— Attendons. »

Le barman en était à son troisième journal suédois.

Durand avait pris à l'imprimerie l'habitude de lire à l'envers. Il déchiffra la manchette.

« *Dagens Nyheter*... quelle langue!... »

Il bâilla de nouveau.

« J'ai faim. »

Gilles se décida.

« Barman, dit-il très haut, des sandwiches. »

Il avait pivoté sur son tabouret pour tourner le dos.

« On fait les verres au poker-dice?

— Oui, dit Durand. Les dés, s'il vous plaît. »

Dès qu'il s'agissait de jouer!

Le barman poussa sur le comptoir un grand plateau. Il y avait des sandwiches de toutes les couleurs, au poisson, aux choux rouges, aux concombres, avec des épices et du sucre.

Gilles fit un mouvement pour se servir, jeta un coup d'œil.

Il sut que Maréchal les avait vus. Il n'avait pas bougé de place, mais il était comme moins grand sur sa chaise, les épaules moins larges, plus serrées. C'était imperceptible, mais cela était. Gilles connaissait bien cette contraction instinctive quand on voudrait n'être pas vu de quelqu'un que l'on sent derrière soi.

La femme allumait une nouvelle cigarette. La flamme du briquet mit un petit reflet fugitif sur son visage couleur de thé.

« Vous n'oubliez pas cette interview chez Béliard? »

La porte s'ouvrit brusquement. Le chasseur entra, regarda à droite et à gauche, hésita, s'approcha.

« Pardon, madame. »

Il ôta sa casquette.

Gilles prit un sandwich à la salade.

« Madame Rousnyak?

— C'est moi.

— Il y a un monsieur qui prie madame de bien vouloir venir lui parler une seconde.

— Au téléphone?

— Non, madame. Le monsieur est en voiture, devant la porte.

— Bon, dites que je vais venir. »

Elle écrasa sa cigarette.

Maréchal se pencha vers elle, lui dit quelque chose à mi-voix.

Elle sourit, repoussa un peu la table pour pouvoir se lever.

Il haussa les épaules.

« Je reviens tout de suite. Demandez-moi un quart Perrier. »

Debout, elle était beaucoup plus belle. Mince, sans maigreur, les épaules larges, les hanches fines. Sous le jersey jaune, on devinait les seins jeunes, aigus.

Elle passa tout près de Gilles. Bleus ou verts, ses yeux? Le soir on ne pouvait pas exactement savoir. Couleur de fumée.

Durand fit rouler les dés.

« Quatre rois en deux.

— Ça se bat », dit Gilles agitant le cornet.

Maréchal se retourna, appela le garçon.

« Un quart Perrier et un whisky. »

Ses yeux croisèrent ceux de Gilles.

Il fit semblant de l'apercevoir, comme s'il eût ignoré qu'il était là.

« Tiens! »

Il se leva, vint à eux.

« Ça, ce n'est pas mal! Qu'est-ce que vous faites ici? »

Durand désigna les sandwiches, les dés.

« Vous voyez... Un verre avec nous?

— Merci. J'ai une table, là... »

Il ne pouvait s'empêcher de regarder sans cesse vers la porte. Ses mains tremblaient un peu.

Il voulut être beau joueur.

« Alors, commissaire, vous m'abandonnez? »

Il eut une petite saccade de rire.

« Non, dit Gilles. Je suis même content de vous voir, je vous aurais téléphoné demain matin. J'ai oublié de vous demander un renseignement.

— Quoi donc? »

Il ne riait plus. Toute son assurance tombait.

« Le nom de l'inventeur.

— C'est indispensable?

— Oui. »

Il était blanc, presque gris, comme d'une chair vidée, morte. Il y avait une immense détresse dans ses yeux. Il ouvrit la bouche, la referma.

« Eh bien?

— Eugène Béliard.

— Béliard?... dit Durand... le Béliard des carburants? »

Il avait cessé un instant de regarder la porte. Elle était entrée. Elle était là.

Elle fut soudain entre eux trois, avec son sourire sensuel, presque enfantin qui découvrait ses dents brillantes.

« Excusez-moi... »

Elle parlait avec une aisance extrême.

« Jean, je suis désolée, il faut absolument que je parte. Puisque vous avez retrouvé des amis... »

Le sang avait reflué aux joues de Maréchal. Il

restait sans rien dire, les bras inertes. De nouveau il eut l'air très myope.

Elle continua, tout naturellement.

« C'est Ianosh, il est obligé de partir demain. Je dois le charger de plusieurs commissions pour mes parents... »

Elle n'avait presque pas d'accent quand on entendait les mots qu'elle disait. C'était quelque chose, en dessous des mots, qui chantait.

Elle s'éloigna sans qu'il eût rien dit, alla jusqu'à la table, ramassa la boîte de « Greys », le briquet.

Maréchal ne semblait pas la voir. Mais tout son corps frémissait comme s'il allait se précipiter pour la rejoindre et que quelque chose l'eût retenu.

Elle but quelques gorgées de l'eau pétillante qu'on venait de lui servir, ouvrit tranquillement un poudrier d'émail noir, se mit du rouge aux lèvres, revint vers eux.

« Au revoir, mon petit Jean. Pardonnez-moi de vous plaquer... »

Elle fit un signe de tête aux deux hommes qu'on ne lui avait pas présentés.

Alors, Maréchal fit un pas.

« Erika, quand vous verrai-je? »

Il y avait dans sa voix une angoisse disproportionnée, qui faisait mal, qui choquait, une réplique de drame dans une comédie.

« Je ne sais pas, Jean. Très bientôt. Je vous téléphonerai. »

*

Ils restaient là, tous les trois, sans rien dire. Il était presque deux heures. Le barman commençait de ranger les soucoupes d'amandes, fourgonnait derrière le comptoir comme un prestidigitateur.

Durand prit le dernier sandwich sur le plateau.

« Apportez ici le verre de monsieur », dit Gilles.

Maréchal fit un geste.

« Mais...

— Mais si, mais si... Nous avons la belle à jouer. »

Il s'empara du cornet, secoua les dés.

Il commandait, maintenant. Il savait que Maréchal ne résisterait plus.

« Cinq valets. »

Durand eut un petit sifflement d'admiration, jeta les dés par acquit de conscience.

« Trois femmes. Vous avez gagné, Gilles. »

Maréchal vida machinalement son whisky, d'un trait.

« On s'en va? »

Ils n'avaient plus rien à faire au Viking.

Gilles alluma une cigarette sur le seuil, les laissa prendre quelques pas d'avance. Le chasseur marchait de long en large. Il lui fit signe.

« Taxi, monsieur?

— Non. Dites-moi, la personne qui est venue chercher Mme Rousnyak, c'est bien un monsieur entre deux âges, plutôt blond? »

L'autre s'étonna.

« Oh! non. Monsieur doit faire erreur. Il était jeune, et très brun. Et puis grand.

— Ah! bon, c'était le fils de celui que je croyais, alors. Merci, mon ami. »

Ils descendaient le boulevard Raspail.

« Quelques pas à pied? » demanda Gilles.

Maréchal acquiesça d'un geste imprécis. Marcher ou ne pas marcher, qu'importait?

Durand héla une voiture qui passait.

« Vous êtes bien gentils, mais je vous lâche. Je n'en peux plus. Je travaille, moi. »

*

Un orage devait se préparer quelque part. Le vent était complètement tombé; il faisait beaucoup plus chaud qu'au début de la soirée. Une buée grise montait du sol, poussière ou vapeur, lentement, enveloppait les arbres chétifs dans leur corselet de fer, obscurcissait le ciel, d'un noir sale, au-dessus d'eux.

Ils marchaient sans parler, pas vite.

Maréchal pensait à beaucoup de choses à la fois. Il avait tenu le coup jusqu'à tout à l'heure. Rue Descombes, avec le commissaire; plus tard, au Viking. Cela avait été assez bien, en somme, jusqu'au moment où il avait entendu la voix de Gilles...

« Barman, des sandwiches... »

Même jusqu'au départ d'Erika. Depuis, cela faisait un bruit de désordre dans sa tête.

Il avait très mal à la tête; et les jambes molles, baignées de moiteur. Est-ce que ses jambes le porteraient longtemps? Est-ce qu'il aurait la force de se mettre à courir, par exemple, de s'enfuir, avant que Gilles ait parlé? Il courrait, courrait comme dans les cauchemars...

Leurs pas sonnaient sur le boulevard désert. Cela faisait une suite de petits chocs sous son front. Des petits chocs de rien du tout qui, à la longue, devenaient très douloureux.

« Vous la connaissez depuis longtemps? »

Voilà. C'était cela qu'il attendait. Il eut soudain moins mal à la tête. Il fallait penser pour répondre. Tâcher de ne penser qu'à une chose à la fois. C'était un repos. Erika, est-ce qu'il ne la connaissait pas depuis toujours, depuis des milliers d'années?

Cependant, il répondit :

« Quatre ans.

— Quel pays?

— Elle est Hongroise.

— Elle vit toujours à Paris?

— En ce moment, oui. Je l'ai rencontrée sur le bateau qui remontait le Danube. Elle venait de Szeged, une petite ville quelque part sur la Tisza. »

Quel soulagement de parler! Comme c'était simple.

Gilles sentit la détente de la voix. Il prit le bras de Maréchal.

« Que fait-elle?

— Rien. Ou plutôt de la sculpture. Elle voit beaucoup de monde.

— Elle a de l'argent? »

Gilles sentit le bras se crisper. Et Maréchal laissa tomber la question.

« Elle a un atelier, reprit-il. Elle reçoit, elle sort plus qu'elle ne travaille. Elle pourrait peut-être avoir du talent.

— Où cela, son atelier?

— A Auteuil, un pavillon, un hangar au fond d'un jardin... »

Il s'arrêta.

« Souvenirs, hein?... Ça fait mal? »

Maréchal secoua la tête, ferma les yeux une seconde.

« Vous l'aimez toujours?

— Oui.

— Cela m'ennuie d'avoir l'air indiscret, mais je vous assure que c'est indispensable. Pourquoi cela a-t-il fini?

— Je n'avais plus de situation. Il fallait que je rentre dans l'armée...

— Ah! oui... Cela ne marchait pas chez Béliard?

— Vous savez?

— Oui, je sais que vous avez été ingénieur à l'usine Béliard.

— Il faudrait que je remonte loin pour que vous compreniez. Béliard, Eugène Béliard, le fils, qui dirige la maison depuis que son père est mort, c'était un camarade de promotion. »

Ils arrivaient boulevard Saint-Germain.

« Voulez-vous que nous prenions une voiture? demanda Gilles.

— Non, non, continuons. Cela me fait du bien de marcher. Où habitez-vous?

— Près du Palais-Royal.

— Je vous raccompagne... Oui... vous comprenez, c'était un camarade. Plus même, un ami. A l'école, nous travaillions ensemble. On s'entendait bien. Nous avions les mêmes rêves, les mêmes enthousiasmes. Lui était très riche, moi pas. Cela n'avait aucune importance. Nous nous jurions de faire de grandes choses, et de les faire tous les deux. C'était tout de suite après la guerre, l'époque de la pire folie. Mais nous ne la sentions pas. Nous vivions encore sur l'élan acquis, nous avions de grandes espérances... »

Il était tout à fait détendu, maintenant. Son pas était plus net, plus ferme. Ses paroles s'abandonnaient au rappel de sa jeunesse. Il en eut conscience.

« C'est ridicule, n'est-ce pas?

— Mais non, pas du tout.

— Si. Mais tant pis. C'était comme cela. Béliard sortit de l'école « dans la botte ». Cela lui permit de prendre, un an après, la direction de sa maison. Son père venait de mourir. Moi, je fis d'abord un stage à Fontainebleau, puis je fus versé dans l'Artillerie, à Vincennes. Ailleurs, en province, je serais peut-être resté. Vincennes, c'était trop près. Vous connaissez hein? Le Donjon, et puis en face, la place avec tous les restaurants, les petites poules des sous-officiers qui viennent dîner avec eux quand ils ne peuvent pas aller à Paris. Et tous les tramways. Les tramways de Paris! Au bout de quelques mois, je n'en pouvais plus de cette vie médiocre. Il fallait que j'aide ma mère. Je crevais de faim, ou à peu près. Mais que faire! Et puis un soir, Béliard qui vient me chercher. « Dînons ensemble. » Il avait une Hispano carrossée en bois, comme un bateau. Un complet de flanelle grise de chez O'Rossen. Vous savez, c'est stupide, mais il y a des choses comme ça. Depuis un an, j'avais envie d'un complet de flanelle grise. C'était en juin, un temps admirable. Il m'emmena dîner au bois. Il y avait des petites lampes roses sur les tables, des femmes avec des robes de mousseline. Tout ce que je n'avais pas, toutes les images d'une vie facile, douce. « Pourquoi n'entres-tu pas « chez moi? J'ai un ingénieur qui s'en va. Trente « mille pour commencer. » C'était trop beau! La liberté, un travail que j'aimais, le complet de flanelle grise. Je dis oui tout de suite, sans réfléchir, pendant qu'une Américaine qui ressemblait à Clara Bow prenait la main de son compagnon, à la table voisine, en me regardant. Ma vie venait de tourner brusquement. Ça vous ennuie, tout ce que je vous raconte?

— Pas du tout. »

Ils avaient suivi la rue de Beaune, longé le quai. Quelques gouttes de pluie tombèrent, larges, chaudes, mirent des étoiles noires, çà et là, sur l'asphalte.

« Béliard était presque aussi content que moi. Nous avions l'habitude de travailler ensemble. « Tu vas voir!... Et nous allons recommencer à « chercher le Z 392! » C'était notre marotte à l'école. Découvrir un gaz qui assure à la France une supériorité incontestable. Nous avions déjà fait des expériences; le hasard nous avait servis; ça ne marchait pas trop mal. J'obtins rapidement le congé de trois ans auquel j'avais droit. C'était assez pour tenter mon expérience de la vie civile. Mais je savais que mon père avait toujours souhaité que je fusse officier. Cela me retint de donner aussitôt ma démission. Vous croyez que l'orage va passer? »

Gilles regarda le ciel noir. La pluie avait cessé.

« En tout cas, nous ne sommes pas loin de chez moi. »

Il y eut un grondement lointain, quelque part; et un petit souffle de vent.

« Oui, il tourne, dit Maréchal. Il n'y avait pas un mois que j'étais chez lui, quand Béliard m'envoya traiter un marché à Budapest. L'affaire fut plus rapidement conclue que je n'espérais. J'aurais pu partir immédiatement. Cela tient à tellement peu de chose, la vie! Pour ne pas arriver à Paris inutilement un dimanche matin, je décidai de remonter le Danube, d'aller prendre le train à Vienne. Vous l'avez vue? Je l'ai aimée immédiatement, d'un bloc. L'univers s'est mis à tourner autour d'elle. Je ne sais pas si c'est comme ça pour tout le monde...

— Mais oui », dit Gilles doucement.

Il imaginait la suite, l'éblouissement des premières semaines, le garçon fou d'amour qui commence à négliger son travail, et puis fait des bêtises, la brouille avec Béliard, sans doute. Et la femme qui s'en va quand il n'y a plus d'argent.

Maréchal se taisait. Il marchait sans savoir où il allait, l'œil perdu.

Il y eut un grondement plus proche, et de nouveau quelques gouttes chaudes. On ne les sentait pas; on les entendait s'écraser mollement sur l'asphalte. Subitement, ce fut une ondée violente, rapide.

Gilles était devant sa porte. Il sonna.

« Voulez-vous monter un moment? Attendre que ça cesse?... »

Il ne répondit pas, le suivit machinalement.

*

Gilles fit de la lumière.

Maréchal regarda autour de lui avec un peu d'égarement. Où était-il? Son mal de tête était revenu, lancinant, derrière le front.

« Voulez-vous boire?

— Non... Un verre d'eau, si vous en avez. »

Il ne savait plus ce qu'il disait.

Gilles sourit.

« Mon Dieu oui. Je crois que j'ai de l'eau. »

Il laissa couler le robinet pour qu'elle fût fraîche.

« Merci. »

La pluie tapait des milliers de coups à la fois sur le zinc du toit, faisait un bruit précipité, rebondissant.

Gilles poussa la fenêtre. Un éclair l'aveugla d'une lumière instantanée.

Maréchal était toujours debout, près du divan. Il gardait son verre vide à la main. Gilles le prit, le posa sur un guéridon.

« Vous permettez, il fait si lourd. Le temps de passer un pyjama. »

Pas de réponse.

Gilles le regarda au visage. Les yeux étaient fixes, et clairs, clairs...

Il alla dans le cabinet de toilette, ôta son veston, se passa les mains à l'eau, se mouilla la nuque et les tempes avec de l'eau de Cologne. Il était fatigué. Et ce garçon, qui allait peut-être rester toute la nuit...

Dans le studio, Maréchal n'avait pas bougé. Il était toujours debout, la tête un peu inclinée, dans une espèce de torpeur, avec le bruit de la pluie sur le toit.

Il n'y avait pas de raison pour que cela finît.

Gilles brusqua les choses.

« Et le Z 392 dans tout cela? »

Alors Maréchal s'abattit. Il tomba sur le divan, tout d'une pièce, la tête dans les coussins.

Et ce fut d'abord comme une ondulation, comme une vague qui soulevait ses épaules, les laissait retomber. Et puis le mouvement devint plus rapide, plus saccadé, secoua tout le corps.

Gilles ne savait plus que faire avec cet homme qui sanglotait.

IV

LE TROISIÈME SLEEPING

Gilles allait et venait dans le couloir.

Il n'y avait plus que sa porte qui fût ouverte. Chaque fois qu'il passait devant il apercevait son pyjama préparé, ses pantoufles. Il avait sommeil.

L'homme du sleeping avait fini son manège, classé les billets, les passeports, soigneusement.

« Pas grand monde, hein?

— Non, monsieur. Quatre voyageurs seulement. »

Il devait savoir compter et dire l'heure dans toutes les langues, mais son accent d'Alsace s'entendait toujours.

Il y eut un grand bruit de ferraille, cette vibration qui se prolonge, va tout à coup plus loin quand le train passe sur un pont. Des lumières piquèrent la nuit, dansèrent sur une eau noire. Gilles s'arrêta, colla son visage à la vitre. Il ne vit que des points brillants, de l'ombre. Le Rhin. Il espérait quelque chose d'autre.

« C'est un nom que je regarde », pensa-t-il.

Tout de suite après, ce fut la gare de Kehl, basse

et grise. Des voix étrangères, ouatées de nuit, que Gilles ne comprenait pas. Un homme à casquette rouge s'agita, avec un petit disque au bout d'un bâton dans la main.

Gilles descendit sur le quai.

« Ce n'est pas nécessaire. Je fais tout... »

L'homme secouait son petit paquet de passeports.

« Je sais, je sais... »

L'air était frais, un peu humide. Il longea rapidement le wagon. Le troisième sleeping après le sien. Tous les rideaux était strictement tirés. Pas une raie de lumière ne filtrait.

« Il a éteint », pensa Gilles.

Son porte-cigarettes était presque vide. Il hésita à allumer une « boyard ».

« Pourvu que j'aie emporté assez de tabac français! »

Le train s'ébranla lentement, pour une manœuvre. Au bout du quai on balançait une lanterne. On criait des mots un peu rauques. Gilles suivit son wagon au pas. Il était dépaysé, perdu. Il essayait de se rappeler les trois mots d'allemand appris au lycée.

Un instant il lui sembla qu'un rideau était soulevé de quelques centimètres. Cela fit une barre d'ombre. Et il aperçut deux yeux, derrière la vitre, qui regardaient à droite et à gauche. Puis la raie noire disparut.

L'homme au passeport revenait.

« On part?

— Dans trois minutes, monsieur. »

Gilles escalada les deux marches hautes, reprit son va-et-vient dans le couloir.

Il y eut encore des rappels, des sifflets, une manœuvre en arrière avant le départ. On eût dit que le train ne se décidait pas à quitter la France, à entrer en Allemagne.

Rien ne bougeait dans le troisième sleeping.

« Monsieur n'a plus besoin de rien? Pas d'eau minérale? »

L'homme avait déboutonné le haut de sa tunique. Ses yeux étaient rouges de sommeil.

« Non, merci. Bonsoir. »

*

Gilles alluma la veilleuse dans la coquille de cuivre au-dessus de sa couchette, ferma les yeux. Il voulait dormir. Il y avait si peu de chance que l'homme descendît en Allemagne qu'il ne s'inquiéterait pas avant Salzburg. Et il ne s'était pas couché la nuit d'avant.

Il essaya de discerner un rythme, une mélodie, dans le ronronnement du train, pour ne pas penser, pour dormir. Il réussit un moment, mais son effort même le ramena sur la piste qu'il voulait abandonner. Le train... il était dans le train. Demain il serait au cœur de l'Europe. Et la veille encore...

Il revoyait le grand corps sanglotant sur son lit, et le visage de Maréchal après les larmes, gonflé, défait, vaincu. Et puis le cri d'angoisse qu'on ne peut plus retenir, l'aveu de la double angoisse, pour lui, à cause de Béliard, pour elle, parce qu'elle était la seule qui connût l'existence du document. Ce que la vie peut faire d'un homme! Cette loque qui lui parlait d'une voix entrecoupée, et qui s'était endormie après, comme une brute. Qui avait dormi jusqu'à midi, pendant que lui courait déjà à travers Paris. Quelle nuit!

Gilles se retourna sur l'étroite couchette, entrouvrit les yeux, aperçut sa trousse ouverte sur la tablette devant la fenêtre. Il éteignit même la veilleuse.

Et Françoise, qu'il avait vue à peine une demi-heure et qui était tellement furieuse qu'il partît qu'elle avait sauté brusquement dans un autobus en marche sans lui dire au revoir. Il lui avait mis une carte à Strasbourg mais quand même...

Que faisait Maréchal, en ce moment? Peut-être fumait-il sur son divan, avec une table noire en face de lui, pour se reposer, pour oublier une heure, le téléphone à portée de la main, au cas où Erika téléphonerait. « Quand vous reverrai-je? » La voix qu'il avait eue pour demander cela au Viking! Sans doute, chaque fois qu'elle le quittait pensait-il qu'elle ne reviendrait plus jamais.

Gilles était furieux de ne pas dormir.

Il n'osait pas s'avouer à lui-même qu'il s'était embarqué dans cette aventure un peu à la légère. Un coup d'intuition, plutôt qu'un raisonnement logique. Mais quoi? Dépourvu de tous les moyens d'action de la police, livré à ses seules ressources, il fallait bien qu'il agît d'une façon anormale.

Pas de piste. Aucun indice. Tout est naturel. Le document a disparu comme par enchantement.

Personne ne sait qu'il existe, sauf Erika. Et Erika sait aussi ce que c'est que le Z 392. Maréchal lui en a parlé très souvent pendant qu'ils vivaient ensemble, et qu'il poursuivait ses expériences avec Béliard. Il ne lui cache rien. Il ne pourrait pas. Il l'aime. L'univers tourne autour d'elle. Quand il a quitté l'usine, qu'il a repris du service, il a continué tout seul ses recherches. Béliard aussi. Les deux amis, brouillés, se sont acharnés sur leur découverte, chacun de leur côté. Et c'est Béliard qui a trouvé le premier. C'est un coup dur pour Maréchal. De grands espoirs qui tombent. Il est déprimé, au plus bas de lui-même quand il rejoint Erika pour dîner. Elle le connaît bien; mieux qu'il ne le croit lui-même. Une demi-heure après, elle sait tout.

Après le dîner, quelqu'un vient les rejoindre au Viking. C'est un cousin d'Erika : Ianosh Ergstein.

Gilles se dresse sur son coude, écoute. Il lui semble qu'on a marché dans le couloir, qu'on a frôlé la porte de son compartiment.

Le train fait toujours son ronronnement régulier, puissant. Il ne ralentit pas. Personne ne pourrait sauter sur la voie à cette vitesse sans se tuer.

Gilles s'étend de nouveau, convaincu qu'il ne dormira pas, résigné à laisser filer l'imagination.

Il n'a plus besoin d'imaginer, d'ailleurs. L'homme qui est venu au Viking, Ianosh Ergstein, il le connaît. Il est à quelques pas de lui, dans le troisième sleeping. Un mètre quatre-vingt-dix, des épaules d'athlète, un beau visage jeune, sous des cheveux noirs qui ondulent haut. Des gestes adroits, pas très rapides, un peu mous, comme ceux de certains grands chiens. Il l'a bien regardé dans le wagon-restaurant, pendant que les coteaux de Lorraine passaient derrière les vitres avec des clochers d'encre violette sur un ciel rose.

Il ne l'oubliera plus, il le reconnaîtra partout et sous n'importe quel déguisement à cause de ses mains. Enormes, ses mains, le double des siennes, des mains de géant, qui font peur malgré les ongles bien taillés, polis par la manucure. Il n'a jamais vu des mains comme ça.

Ni un homme aussi grand d'ailleurs.

Un mètre quatre-vingt-dix? Il a peut-être plus. Comment peut-il faire pour s'étendre sur une couchette de sleeping, si étroite que lui-même ne peut pas s'endormir? Il a certainement presque deux mètres. Il s'allonge, s'allonge, agite ses énormes mains au bout de deux bras immenses. Il s'est étendu dans le couloir parce qu'il n'a pas assez de place dans son compartiment. Et il continue de s'allonger...

C'est invraisemblable! Gilles sent que son front se mouille de sueur.

Le train s'est mis à chanter, Erg-stein... Erg-stein... sur un rythme à syncope régulière.

Voilà que l'homme est presque aussi long que le train, il empiète sur le fourgon de bagages, il tend les bras. Que va-t-il faire? Ses mains démesurées empoignent le chauffeur et le mécanicien, les écrasent, les jettent sur la voie. On n'entend même pas le bruit que font les corps en tombant. Il remue des leviers, renverse la vapeur. Il va arrêter le train, s'enfuir. Le ronronnement diminue, les roues patinent sur le rail.

Gilles a bondi.

« *München... München...* »

*

Il faisait grand jour.

Gilles souleva précipitamment le rideau, ébloui par la lumière, ahuri par le va-et-vient du quai, l'affairement d'une grande gare.

Une petite fille blonde, plantée à côté d'une malle, se mit à rire en voyant ses cheveux en broussaille apparaître derrière la vitre. Un gros homme était arrêté en face de lui, avec un rucksack sur le dos, un chapeau vert orné d'une petite plume, des mollets nus comme dans les dessins de Hansi.

« *München... München...* »

Neuf heures un quart.

Tout ce qu'il voyait était encore emmêlé aux images du songe. Inconsciemment, il cherchait son géant dans la foule qui se pressait, traînait des bagages, criait des choses qu'il ne comprenait pas.

Il avait dormi combien de temps? Huit heures, peut-être, passé Stuttgart, Ulm, traversé l'Allemagne sans s'en apercevoir.

Gilles eut un sursaut d'inquiétude, se précipita dans le couloir.

Personne.

A quelques mètres de lui, un rectangle de soleil signalait la porte ouverte du troisième sleeping.

Il avança. Le sleeping était vide, mais il aperçut un coin de valise en peau de porc, un pardessus qui pendait.

Tranquillisé, il rentra dans son compartiment, retourna à la fenêtre après s'être donné un coup de peigne, ouvrit la vitre pour avoir un peu d'air.

Le contrôleur passait.

« Combien d'arrêt?

— Cinq minutes encore, monsieur. »

Le gros voyageur aux mollets nus s'était multiplié par trois. Il causait maintenant avec deux amis. Rucksack et petite plume, eux aussi. Une excursion sans doute qu'ils allaient faire. Vacances bavaroises.

« *Zigaretten... Zigarren...* »

Un petit chariot offrait la tentation de boîtes multicolores. Il appela, hésita devant les cigarettes inconnues, choisit une boîte de « Manola ».

« *Wieviel?* demanda-t-il.

— Deux marks, monsieur. »

Il paya, vexé qu'on ne lui eût pas répondu en allemand, alluma une cigarette dont la fumée lui parut fade, un peu trop parfumée.

Celui qu'il attendait ne paraissait pas. Il recommença d'être inquiet. Où était-il? Que faisait-il?

Gilles fut tout à coup furieux contre lui-même, contre son stupide sommeil, son cauchemar. S'il avait été habillé, il aurait pu suivre Ergstein, voir s'il parlait à quelqu'un, s'il remettait quelque chose à quelqu'un. C'était trop idiot!

Il passa sa robe de chambre, alla jusqu'au marchepied du wagon. Dans son impatience il descendit sur le quai, fit quelques pas.

Un employé qui remontait le train lui cria presque dans l'oreille :

« *Platznehmen, bitte... platznehmen.* »

Que voulait-il, celui-là?

« *Salzburg, Linz, Wien, einsteigen...* »

Il y avait des têtes aux portières, des mains tendues. Devant le wagon voisin, trois ou quatre petites Anglaises avec une vieille dame sèche disaient au revoir à une camarade qui s'en allait. A cinquante mètres, on agitait un disque blanc au bout d'un bâton. Une cloche sonna.

« En voiture, monsieur. »

L'homme du sleeping était à côté de lui, le poussait. Il avait un paquet de journaux à la main, du raisin dans un petit carton.

Gilles sauta sur le marchepied quand le train démarrait.

« Est-ce que monsieur veut qu'on lui serve son premier déjeuner?... Café au lait?

— Non. Un thé complet. »

Gilles regardait la porte du troisième sleeping. Elle était fermée, maintenant, les rideaux tirés. Il ne comprenait plus.

« Un thé? Bien, monsieur, je vais le commander tout de suite... Excusez-moi... »

Gilles s'effaça pour le laisser passer. Au grand jour, l'accent alsacien ressortait davantage.

Un vieux monsieur en jaquette noire, avec une moustache blanche, et une impériale, se promenait dans le couloir.

« A quelle heure arrive-t-on à Salzburg? demanda-t-il.

— A dix heures quarante-cinq, monsieur.

— Merci. »

L'homme avait toujours ses journaux, son raisin. Il frappa à la porte du troisième sleeping.

Une voix répondit de l'intérieur :

« *Ia... ein moment, bitte...* »

Au bout de quelques secondes, la porte s'entrouvrit pour laisser passer un bras, une main que Gilles reconnut.

La main prit les journaux, les fruits.

« *Ich habe das Telegramm aufgegeben, mein Herr...*

— *Danke...* »

Gilles entra dans son compartiment en chantonnant, leva entièrement le rideau, prit une « boyard » dont le goût lui sembla particulièrement bon. Il regarda avec plaisir l'immense banlieue munichoise, les petites maisons de nougat et de pistache avec leurs balcons de fleurs.

« Que je suis bête! pensait-il avec satisfaction. Il était dans le cabinet de toilette. »

*

Françoise chérie,

Je te mettrai ce petit mot à Salzburg, si j'arrive à demander un timbre dans cette sacrée langue! Comment vas-tu, ce matin? Es-tu encore fâchée avec moi? Tu as été bien méchante, ma petite fille chérie, quand tu as sauté dans l'autobus sans même me dire au revoir.

C'est fantastique quand je pense qu'hier après-midi tu étais près de moi et que ce matin, je suis déjà au bas bout de l'Allemagne, que ce soir je coucherai, si Dieu le veut, au bord du Danube! Tu te rends compte, mon chou? Mais tu sais bien que tu ne me quittes pas, que tu es toujours avec moi.

Il fait un temps ravissant...

Gilles leva les yeux, regarda par la portière.

Pendant que je t'écris, nous traversons une campagne, vert et or, qui ressemble à toutes les campagnes. Mais au bout, il y a des montagnes, qui ont l'air posées là comme des nuages...

Une pensée traversa l'esprit de Gilles. Sans lâcher son stylo, il fouilla dans son sac ouvert à côté de lui, trouva un petit lexique allemand-français.

« *Auf... Auf...* »

Voilà. *Envoyer...* il avait fait envoyer un télégramme de Munich.

Figure-toi que l'on vient de me servir dans mon sleeping du thé, avec des petits pains tellement bons que tu n'en as pas une idée. Plus tard, mon amour chéri, nous viendrons dans ce pays rien que pour que tu les goûtes.

Ah! tiens, quand je pense à cela!... Zut.

Je ferme les yeux, je t'embrasse.

Gilles alla faire un tour dans le couloir pour se dégourdir les jambes, s'accouda à l'appuie-main de métal. Du coin de l'œil, il regardait Ianosh Ergstein.

Il lisait avec attention le *Münchener Zeitung*, à demi étendu sur la banquette. La grande valise était fermée. Gilles remarqua une étiquette ronde, rouge et jaune : Palace Hôtel, Valencia. Une autre longue et bleue sur le côté : Regina Hôtel, Malaga.

A qui avait-il envoyé le télégramme?

Etait-ce à lui qu'Erika avait téléphoné, la nuit du vol?

Il était resté avec elle et Maréchal une heure à peu près, au Viking. Ils avaient parlé de choses et d'autres; il avait donné à Erika des nouvelles de parents, d'amis. Et puis, il les avait quittés. Il était fatigué. Il voulait se coucher tôt. « Nous avons le temps de nous revoir, avait-il dit, je pense rester au moins une semaine. » Maréchal aussi était fatigué ce soir-là, et triste, et contrarié de n'avoir pas eu Erika à lui tout seul. Mais elle n'avait pas voulu qu'il rentrât, elle l'avait traîné de boîte en boîte, au Jockey, à la Croix-du-Sud, jusqu'à quatre heures. Et Maréchal avait été étonné, il n'avait pas compris. Parce que depuis que c'était fini entre eux, depuis qu'ils n'étaient plus que camarades, elle ne restait jamais aussi longtemps avec lui. Une sorte d'espoir fou l'avait inondé, transporté. Allait-elle revenir à lui? Avait-elle enfin senti que jamais personne au monde ne l'aimerait comme il l'aimait?

Ergstein tourna la page de son journal, regarda l'heure à sa montre-bracelet. Il avait toujours ses gestes un peu lents, assurés dans leur mollesse souple. Les grandes mains plièrent soigneusement le journal.

Gilles pensa aux doigts nerveux de Maréchal, qu'il avait croisés sur ses genoux et qui devenaient blancs à force d'être serrés pendant qu'il lui arrachait ce récit, qu'il obtenait enfin ce qu'il voulait. Une demi-heure après que son cousin les eut quittés, elle était allée à la toilette. Et comme elle tardait à revenir, il était allé, lui aussi, se laver les mains. Erika était au téléphone, il avait entendu sa voix dans la cabine. Non. Il ne savait pas à qui elle téléphonait. Non. Il ne savait pas ce qu'elle avait dit; elle parlait en hongrois. Il avait seulement entendu : « rue Descombes ». Pourquoi donnait-elle son adresse? A qui?

« Monsieur, nous serons dans dix minutes à Salzburg.

— On détache le wagon-lit, n'est-ce pas? »

L'homme du sleeping remit à Gilles ses billets, son passeport.

« Oui, monsieur. Je donnerai les bagages à un porteur. »

Ergstein avait fini de lire le *Münchener Zeitung*. Il ouvrit sa valise fermée à clef.

Ses yeux rencontrèrent ceux de Gilles, qui le regardait du couloir.

Il bouchonna dans un coin un mouchoir froissé, en prit un propre, referma soigneusement sa valise, décrocha son manteau, sortit à son tour dans le couloir.

Gilles continuait de le regarder. Il voyait maintenant son profil, retrouvait sous les traits de l'homme ceux de l'adolescent qu'il avait étudiés sur une photo d'amateur que Maréchal lui avait montrée la veille. Une petite photo d'Erika à Szeged. Erika dans un jardin à quinze ans, avec des cousines qui riaient et un grand garçon couché à ses pieds, Ianosh Ergstein. Celui qui était là, maintenant, ses grandes mains serrant la barre d'appui, occupé à regarder tranquillement le paysage.

Au bout du wagon, le vieux monsieur en jaquette commençait d'empiler dans le couloir des sacs à main de cuir, un rouleau de couverture.

« Emile, tu as bien fermé le nécessaire? »

Une femme épaisse, engoncée dans un gros manteau de voyage, des cheveux jaunes qui avaient dû être noirs s'échappant par mèches d'un chapeau trop petit, dirigeait les opérations avec autorité.

Gilles ne put s'empêcher de sourire.

Il vit qu'Ergstein souriait aussi.

Et leurs sourires un instant se croisèrent.

V

LA PREMIÈRE JEUNE FILLE

GILLES abandonna son sac et son manteau au porteur.

« *Wien?*

— *Ja, ja.*

— *Dritte Klasse?*

— *Nein... Erste...* »

Le porteur le regarda avec un rien d'étonnement, tourna le dos, et disparut immédiatement aux yeux de Gilles, comme tous les porteurs de bagages qui, dans tous les pays du monde, disparaissent par des chemins invisibles, pour reparaître subitement à la porte de votre wagon sans que l'on sache comme ils y sont venus.

Il ne s'inquiéta pas, suivit à dix mètres Ergstein qui balançait sa valise à bout de bras comme une plume, comme si elle n'eût rien pesé.

Les quais étaient coupés de barrières blanches, parcourus de jeunes vendeuses vêtues de rose.

« *Obst... Schokolade... Bonbons...* »

Elles offraient des fruits, des bonbons, des cigarettes, des cartes postales, donnaient à cette gare de Salzburg un air d'opérette. La matinée sentait bon; on apercevait des montagnes, des coins d'architecture ancienne. Dommage de ne pas pouvoir s'arrêter dans la ville de Mozart.

« *Bonbons... Pffefermunz...* »

Le flot des voyageurs était endigué vers le bureau des passeports.

Gilles marcha plus vite, dut s'arrêter. Ergstein était toujours devant, séparé de lui seulement par sept ou huit personnes.

C'était trop. Pendant que l'on examinerait ses papiers, il prendrait de l'avance, pourrait filer s'il en avait envie, s'échapper.

Mais il n'avait pas du tout l'aspect d'un homme qui cherche à s'enfuir.

Il attendait avec patience que vînt son tour, le passeport à la main.

Soudain, il fit des signes, appela :

« Maridi... Maridi. »

Une grande fille passait sur le quai avec un pull-over cerise sur une robe légère, un chapeau d'été. Elle se retourna, aperçut Ergstein qui agitait sa grande main.

« Ianosh! »

Ils paraissaient enchantés du hasard, et se mirent à bavarder.

Ergstein laissa passer trois personnes, puis reprit la file, tout en continuant de causer avec celle qu'il avait appelée Maridi. Gilles ne comprenait pas un mot de ce qu'ils disaient, mais ne les quittait pas de l'œil.

Son tour arriva, il tendit ses papiers.

Ergstein s'éloignait, disparut. Gilles tendit le cou

pour voir la direction que prenait la tache vive du pull-over.

On lui posait une question à laquelle il ne comprenait rien.

« Quoi, quoi? je ne comprends pas. »

L'employé répéta complaisamment la même phrase.

Gilles s'énerva. Il ne savait absolument pas ce qu'on lui voulait.

A la fin, l'homme dit seulement.

« *Geld... geld...*

— *Geld?...* Argent... Ah! oui. »

Il tira son portefeuille, montra des billets.

« Mille schillings, et cinq cents francs français. »

L'employé lui rendit son passeport avec un sourire.

« *Danke schön.* »

Cette fois, il était perdu sur les quais, empêtré dans les barrières blanches. Il ne savait plus s'il devait aller à droite ou à gauche.

« *Wien?* » demanda-t-il.

On lui répondit quelque chose qu'il ne comprit pas. Il s'arrêta, un peu désemparé, songea qu'il serait bon qu'un commissaire de la Police judiciaire apprît toutes les langues.

« *Obst... Schokolade... Bonbons...* »

Il avisa une petite vendeuse de cartes postales, toute rose, tira de sa poche la lettre pour Françoise, lui montra l'emplacement.

« *Ja, ja,* dit-elle gentiment. *Für Frankreich?*

— *Wieviel?* » demanda-t-il par acquit de conscience en lui tendant un schilling, car il commençait à savoir qu'il ne comprendrait pas ce qu'elle lui répondrait.

Mais elle rendit la monnaie sans rien dire.

« *Für Wien?* » lui demanda-t-il encore.

Et elle répondit par geste, lui désignant le quai voisin, accentuant son sourire.

« Je me suis toujours mieux entendu avec les filles qu'avec les garçons », pensa Gilles en lui-même.

Rapidement, il gagna le quai, retrouva son porteur qui l'attendait, son sac installé dans un compartiment vide. Il était le seul voyageur de première classe.

Pas d'Ergstein sur le quai, pas de pull-over cerise.

« *Einsteigen... Einsteigen...* »

Gilles obéit à l'injonction, escalada le marchepied. Il regrettait son billet de première, et de ne s'être pas souvenu, dans la hâte du départ, qu'on ne prenait guère que des secondes en Allemagne et en Autriche. Il parcourut les wagons par les couloirs, avant que le train s'ébranlât. Dans un compartiment de seconde, voisin du sien, il aperçut la grosse dame aux cheveux trop blonds qui mangeait une tablette de chocolat, et dans le filet, au coin opposé, une valise en peau de porc, avec une étiquette bleue du Regina Hôtel de Malaga.

*

Au fond, que voulait-il au juste?

Il était parti comme cela, à cause de ce coup de téléphone d'Erika la nuit du vol, à cause du départ brusqué de Ianosh Ergstein, qui avait annoncé qu'il resterait une semaine, et qui quittait Paris trois jours après son arrivée, parce que, aussi,

Erika était la seule personne qui ait su que Maréchal avait chez lui le dossier du Z 392.

Mais après?

Il n'avait aucun mandat officiel. Il ne pouvait pas entrer en relation avec la police autrichienne. Il suivait Ianosh Ergstein. Il l'accompagnait plutôt. En admettant que l'autre ne pût pas le dépister à Vienne, qu'il réussît à le filer, à percer un peu à jour sa personnalité, il serait, à moins d'un hasard, impuissant à récupérer le document volé.

Mais que faire d'autre? Il y avait toujours un élément de chance dans une affaire comme celle-là. Le tout était de la provoquer, de la saisir quand elle passerait. A condition qu'elle passât.

« Pourvu que Franzl ait reçu ma dépêche, pensa Gilles. Et qu'il soit à la gare. Je ne sais pas comment je me débrouillerai sans lui! Combien de temps que je ne l'ai vu? Cinq ou six ans au moins. S'il a encore grossi... »

« Quel charmant paysage, n'est-ce pas, monsieur? »

Gilles regarda le vieux monsieur en jaquette noire qui lui parlait. Il était accoudé à la fenêtre voisine de la sienne. Il n'y avait entre eux que la porte ouverte qui partageait le wagon-mixte en premières et secondes classes.

Singulier type, avec sa barbiche taillée comme celle de Napoléon III, son vêtement démodé. Mais un œil fin, dans un visage à la fois poupin et délabré.

Un raseur et un bavard, quelle malchance!

« Charmant, en effet, répondit-il avec une indifférence polie.

— Ah! monsieur... vous êtes Français, monsieur?

— Oui, monsieur.

— Quel plaisir, monsieur, de rencontrer quelqu'un qui parle sa langue en terre étrangère!... Je lis couramment les langues germaniques... mais j'avoue... heu!... que je les entends mal, lorsqu'elles sont déformées par la prononciation. »

Gilles fit un geste qui pouvait passer pour une approbation.

« Vous êtes comme moi, peut-être, monsieur?... Enfin, on a beau aimer son pays, il faut reconnaître que cette campagne autrichienne a bon aspect. Avez-vous remarqué comme les constructions des villages s'accordent bien avec la configuration naturelle de la région? Et comme les fermes paraissent propres. Voyez, monsieur, à tous les balcons il y a des fleurs... »

Gilles se serait peut-être amusé de l'enthousiasme du bonhomme s'il avait voyagé pour son plaisir. Mais il commençait de trouver bizarre l'absence d'Ergstein qui n'était toujours pas dans son compartiment. Il écoutait le monologue sans patience.

« Oui, oui », murmura-t-il.

L'autre était imperturbable, intarissable.

« Vous allez jusqu'à Vienne, monsieur? Oui, moi aussi. Ville délicieuse, paraît-il. Mais il fallait la connaître avant-guerre, au temps des archiducs, des fêtes... Permettez-moi de me présenter, monsieur... Alexandre Boudier, membre de l'Académie des Etudes historiques de la Nièvre et secrétaire perpétuel de la Société d'Archéologie du Centre. »

Il s'arrêta, à la fois pour juger de l'effet de ses titres et pour laisser le temps à Gilles de lui rendre sa politesse.

Mais Gilles avait envie de rire, et aussi de lui flanquer des claques pour qu'il le laissât en paix.

Il bredouilla au hasard :

« Gilles, de Paris. »

L'autre s'inclina.

« Vous voyagez en touriste, sans doute?... Moi, je suis en mission, monsieur, je vais étudier sur place le baroque autrichien. Parfaitement... Ah! le baroque... »

Il n'éviterait pas la conférence.

Une voix providentielle le sauva.

« Emile... Emile...

— Excusez-moi, monsieur, ma femme m'appelle... Madame Boudier a bien voulu m'accompagner, en dépit de l'importance du déplacement. Elle voulait voir le Danube. Vous savez, à cause de la valse, sans doute... tra la la la... tra la la la...

— Emile...

— Je vous salue, monsieur. »

*

Il était près de midi.

Gilles décida d'explorer le train de bout en bout.

Il traversa deux wagons de secondes, presque vides, arriva aux troisièmes bondées. La plupart des voyageurs mangeaient, sur leurs genoux, des petits pains, de la charcuterie, des fruits.

Dans le tambour du wagon-restaurant, il se heurta au garçon qui allait annoncer le premier service, entra.

La première chose qu'il vit, ce fut Ergstein avec la jeune fille de Salzburg. Ils étaient assis au fond, à une table de quatre. Gilles n'hésita pas, alla s'asseoir en face d'eux.

La jeune fille le regarda un instant sans cesser de parler, puis ne s'occupa plus de lui.

Elle avait un joli visage de jeunesse, brûlé de soleil, sans trace de fard. Des yeux couleur de noisette, un charme extrême dans le sourire qui découvrait des dents pas très régulières, mais d'une blancheur de porcelaine. Son pull-over mettait un reflet rose sur le cou, le dessous du menton quand elle levait la tête.

Gilles cherchait dans son souvenir où il avait vu ce sourire. Nulle part, évidemment. Pourtant quelque chose dans l'expression l'accrochait, lui donnait le sentiment du déjà vu.

Le restaurant s'était rempli. On commençait à servir.

Gilles ne se débrouillait pas de la carte, pleine de mots terrifiants qui ne lui disaient rien. Et le garçon s'obstinait à lui poser une question qu'il ne comprenait pas.

La jeune fille vit son embarras, consulta du regard Ergstein qui acquiesça d'un signe.

« Monsieur, si je puis vous aider...

— Volontiers, mademoiselle, je ne saisis pas ce que me demande le garçon. »

Elle se mit à rire gentiment.

« Il vous demande si vous voulez recevoir du vin ou de la bière.

— De la bière, mademoiselle, je vous remercie. »

Elle parlait presque sans accent. Et sa phrase avait rappelé à Gilles son ami Franzl Baumann, qu'il n'avait jamais pu déshabituer de dire « recevoir » à la place d' « avoir » ou de « prendre » pendant les deux années d'étudiants qu'ils avaient passées ensemble au Quartier latin.

Gilles aurait eu faim et ce serait aperçu de ce qu'il mangeait si sa pensée n'avait pas été si vite. De toute manière, il était « brûlé ». Fallait-il poursuivre la conversation, essayer de se lier avec Ergstein, et cette aimable fille dont le sourire, décidément, lui rappelait quelque chose?

« Monsieur, est-ce que je me trompe? N'étiez-vous pas l'autre soir au Viking, avec mon ami Jean Maréchal et Mme Rousnyak? »

Il s'était décidé brusquement, et maintenant regardait dans les yeux Ergstein qui avait levé la tête vers lui.

Mais ce fut la jeune fille qui s'exclama :

« Erika?... Vous connaissez Erika?

— Très peu, mademoiselle, je l'ai rencontrée quelquefois seulement...

— Oui, et on ne l'oublie pas, n'est-ce pas, quand on l'a une fois vue?

— Certes.

— Comme le monde est une petite chose! Il faut que nous soyons à la même table, dans un wagon-restaurant, et voilà que vous me parlez tout de suite de ma cousine. Parce que c'est ma cousine, vous savez? »

Gilles aussitôt identifia le sourire. Mais oui! C'était une des petites filles de la photographie. L'expression adolescente persistait dans le visage.

« Oh! dit-il, mais je vous connais depuis longtemps.

— Comment cela?

— Mon ami Jean Maréchal possède une photo, sur laquelle vous êtes en train de rire dans un jardin. Quel âge aviez-vous alors, mademoiselle Maridi?

— Je me souviens, oui, j'avais quatorze ans, c'était dans le jardin d'Erika, à Szeged. Vous étiez là aussi, Ianosh? »

Une tristesse subite avait foncé les prunelles couleur de noisette, voilé le sourire.

« C'est drôle, tout cela, reprit-elle.

— Oui, c'est drôle », murmura lentement Ergstein qui n'avait encore rien dit.

Il y eut un petit silence. Et Gilles ne voulait pas qu'il y eut de silence. Pas encore, du moins.

« J'étais aussi au Viking avant-hier soir, quand vous êtes venu chercher Mme Rousnyak. Et ce matin, nous déjeunons ensemble à mille kilomètres de Paris... »

Il riait.

« Quelle curieuse série de coïncidences! »

Ergstein le regardait tranquillement. Pas un muscle n'agitait son large visage calme, sans une ride, qui avait un étonnant aspect de jeunesse.

« Oui, c'est curieux! »

Il parlait avec lenteur, appuyant sur les mots qui ne se formaient pas naturellement sur ses lèvres.

« Je pense que M. Maréchal a été mécontent, ajouta-t-il.

— De quoi? »

Gilles avait parlé trop vite. Il s'en voulut d'employer un piège aussi grossier.

« De lui avoir enlevé Mme Rousnyak, reprit-il en souriant.

— Oui », dit Ianosh Ergstein en souriant aussi.

Maridi intervint.

« Monsieur, qui est-ce, votre ami? J'en ai tellement entendu parler.

— Un garçon délicieux et d'une grande valeur.

— Vous êtes officier aussi? demanda Ergstein.

— Non, non... je suis journaliste, simplement.

— Ah! oui... ce peut être un grand métier. »

Il parlait avec application, cherchant ses mots, mais les trouvant. Gilles regardait ses grands yeux placides, lumineux, qui ne se détournaient jamais. Il avait de la peine à croire que ce fût un espion.

On servait le café.

Par la fenêtre, on aperçut, dressé au haut d'une colline, une sorte d'église avec deux tours carrées surmontées de bulbes, un bulbe bleu, un bulbe rouge.

« Premier contact avec l'Orient, murmura Gilles.

— Vous connaissez déjà l'Europe centrale? demanda Maridi.

— Non, mademoiselle, je n'avais jamais dépassé Francfort, vers l'est.

— Vous allez voir comme c'est beau. Vous irez jusqu'à Budapest?

— Peut-être, je ne sais pas encore... Est-ce que vous habitez toujours Szeged? »

Il y eut de nouveau de l'ombre sur le jeune visage.

« Non. »

Elle dit quelques mots en hongrois à Ergstein, qui lui répondit.

M. Boudier faufilait sa jaquette entre les tables. En passant devant Gilles, il le salua.

Maridi étouffa un éclat de rire.

« Ne jugez pas tous les Français par mon compatriote, mademoiselle, je vous en prie, dit Gilles en riant aussi.

— Il est comique.

— Oui, dit Ergstein. Mais... vous avez vu ses yeux. Ce n'est pas un homme bête. »

Gilles s'étonna.

« Quel don d'observation!

— Je voyage beaucoup! » dit Ergstein lentement.

Le wagon-restaurant commençait à se vider.

C'était assez pour l'instant. Gilles se leva.

« Je suis heureux de vous avoir rencontrés. Peut-être nous verrons-nous à Vienne, puisque le hasard semble se plaire à nous réunir.

— Peut-être, je serai charmé. Ou peut-être pas... »

Les doigts de Gilles disparurent dans l'énorme main qui se tendait vers lui.

Maridi aussi lui tendit la main.

« Merci d'avoir bien voulu être mon interprète, mademoiselle. Ne viendrez-vous pas à Paris voir votre cousine?

— C'est possible, plus tard.

— Vous restez à Vienne?

— Non, non, je traverse.. je vais beaucoup plus loin, chez ma sœur. Au revoir, monsieur. »

*

Gilles s'arrêta net.

Il était tellement surpris qu'il ne songea pas à dissimuler son étonnement, resta planté devant la porte close du compartiment.

Que faisait donc M. Boudier debout sur la banquette, la main gauche accrochée à la barre du filet, les basques de la jaquette flottantes?

Pas de doute, M. Boudier, membre de l'Académie des Etudes historiques de la Nièvre, regardait avec une attention déconcertante la valise en peau de porc de Ianosh Ergstein.

Et que faisait-il maintenant avec sa main droite? Pas de doute non plus. Il introduisait dans la serrure une petite clef.

« Ah! ça!... »

Soudain, M. Boudier dut sentir qu'on le regardait par-derrière. Il ne se retourna pas, mais la petite clef disparut rapidement dans sa main. Puis il descendit avec précaution de la banquette, épousseta le coussin, rajusta le nœud tout fait de sa cravate.

Gilles ne bougeait pas.

M. Boudier ne semblait pas l'avoir aperçu. Il prit un cigare dans un étui, le fit craquer amoureusement, l'alluma.

Alors seulement il aperçut Gilles, lui fit un petit signe et sortit dans le couloir.

« Eh bien, monsieur, qu'avez-vous pensé de ce premier contact avec la cuisine étrangère? Quant à moi, je dois vous avouer que je la trouve lourde, et que Mme Boudier en est déjà fort éprouvée.

— En tout cas, cher monsieur, elle ne semble pas vous priver de votre agilité. Je vous admirais à l'instant, pendant que vous faisiez vos exercices de culture physique...

— Ah! oui... »

Un sourire tranquille parut entre le blanc de la moustache et le blanc de l'impériale.

« J'étais en train d'examiner cette belle valise. Figurez-vous que je m'amuse à collectionner les étiquettes d'hôtel. C'est une faiblesse... pour un homme de science, et qui ne sort guère de sa sous-préfecture. Vous ai-je dit que j'habitais Château-Chinon? Une charmante ville, monsieur, quand on en connaît les ressources. Ces petites étiquettes avec leurs images, leur couleur, cela vous console de ne pas voyager soi-même. Et je vous avoue que j'étais fort tenté par cette belle vignette rouge et jaune. »

Il désignait du doigt la valise.

« Eh bien, monsieur, si elle vous tente tellement, je pourrais peut-être la demander pour vous à son propriétaire.

— Comment, monsieur, vous connaissez... Mais... »

Il se pencha soudain vers la portière avec émotion.

« Mais, monsieur... c'est le Danube... le Danube... »

Gilles regarda la belle anse du fleuve, dominé par un monastère splendide. On arrivait à Linz.

« Mon Dieu!... et ma femme qui ne le voit pas... »

Il se précipita au bout du couloir, frappa à la porte de la toilette.

« Aglaé... Aglaé... le Danube... »

Le vieil homme semblait dans une agitation extrême. Il revint en sautillant, le visage rayonnant.

« Tra la la la... Tra la la la... »

Mme Boudier parut. Son chapeau mal ajusté semblait encore plus petit sur ses mèches encore plus bouffantes.

Elle écrasa son nez, qui avait dû être mutin à

l'aube du siècle, sur la vitre. Et puis elle se détourna.

« Mais il est jaune! dit-elle avec dépit. Tu viens, Emile? »

Et elle rentra dans son compartiment.

Boudier regarda Gilles avec une expression complice qui voulait dire sans nul doute à Château-Chinon : « Ah! les femmes!... »

*

Gilles était resté à la fenêtre du couloir.

A chaque arrêt de petites vendeuses roses parcouraient les quais :

« *Obst, Schokolade, Bonbons...* »

Un garçon courait le long du train avec un bruit de verres choqués :

« *Frisches wasser.* »

C'était vrai que le Danube n'était pas bleu. Il roulait ses eaux jaunâtres, limoneuses entre des campagnes grasses. Gilles était déçu, lui aussi, à sa manière.

Et voici que l'affaire se compliquait diablement.

Ce vieil homme singulier entrait dans l'histoire comme un chien dans un jeu de quilles. Gilles sentait qu'il s'était engagé à la légère dans une partie beaucoup plus compliquée qu'elle ne paraissait à première vue et dont il ne comprenait encore ni les règles ni l'enjeu. Ce Ianosh Ergstein, si tranquille d'aspect et si inoffensif en dépit de sa taille d'Hercule, quand il bavardait avec une fille en pull-over cerise, comment entraînait-il à sa suite le couple de Château-Chinon?

Gilles aurait donné gros, lui aussi, pour jeter un coup d'œil dans la valise en peau de porc.

On approchait de Vienne. Le train traversait des bois, contournait des collines.

Il rentra dans son compartiment, prit son bloc.

Françoise chérie,

Dans une demi-heure nous serons à Vienne. Je t'écris encore du train parce que je ne sais pas du tout quand je pourrai après te donner des nouvelles. L'affaire se corse.

Ne t'inquiète pas. Je meurs d'envie de t'embrasser.

Ergstein passait dans le couloir.

« Monsieur Ergstein. »

Après tout, pourquoi pas?

Ergstein entra. Il y avait un léger étonnement sur son visage.

« Oui? » dit-il seulement.

Gilles ferma la porte vitrée.

« Je vous demande pardon, et je ne voudrais pas me mêler de ce qui ne me regarde pas. Avez-vous quelque objet précieux ou important dans votre valise? »

Le Hongrois ne broncha pas devant la question directe. Il posa son regard calme sur Gilles.

« Pourquoi?

— Parce que ce vieux monsieur en jaquette, vous savez, qui a fait rire votre amie tout à l'heure, a essayé de l'ouvrir. »

Il n'avait l'air ni inquiet ni surpris. Il parlait toujours aussi lentement, cherchant ses mots.

« Peut-être... il se trompait...

— Je ne crois pas. Ses bagages ne ressemblent pas aux vôtres. Et puis, vous l'avez dit vous-même, ce n'est peut-être pas un homme bête.

— Non. »

Ergstein était très poli, parfaitement indifférent. Il regardait par la portière.

« En tout cas, je vous remercie.

— Il n'y a pas de quoi. Je voulais seulement vous mettre en garde...

— Je suis... »

Cette fois Ergstein avait parlé un peu plus vite.

« Attrape! » pensa Gilles.

« Je le pensais bien », dit-il en souriant.

Et tout de suite après :

« Je crois que je descendrai à Vienne chez un de mes amis. Mais si ce n'était pas possible, puis-je vous demander un bon hôtel?

— Oui... l'Impérial... je pense. C'est bien. Vous avez un ami viennois?

— Un vieux camarade, Franzl Baumann. Vous connaissez? »

Ergstein se leva.

« Non... vous m'excusez?... Je dois rejoindre... »

*

Seul, Gilles alluma une cigarette, réfléchit quelques instants.

Cela n'avançait guère. Il avait l'impression de lancer des balles contre un matelas.

Il boucla son sac pour être prêt à descendre dès l'arrêt du train, reprit sa faction dans le couloir.

Du coin de l'œil, il pouvait apercevoir ce qui se passait dans le compartiment qu'Ergstein et Maridi partageaient avec le couple Boudier.

La porte était ouverte.

Mme Boudier, la tête renversée, les yeux clos, tenait sous ses narines un mouchoir, sans doute imbibé d'eau de Cologne ou d'alcool de menthe.

Boudier semblait plongé dans un *Bædeker*.

Ergstein racontait quelque chose en hongrois.

Il faisait chaud sous le soleil de deux heures. La jeune fille avait ôté son pull-over, qui faisait une tache cerise sur la banquette à côté d'elle.

Soudain, Ergstein se leva, prit tranquillement sa grosse valise, et tout en continuant de parler avec Maridi, la posa par terre, l'ouvrit. Des chemises, des cols, un pyjama.

Gilles suivait le manège par clins d'œil.

« Je voudrais tellement retrouver cette photographie pour te la montrer. »

Ergstein avait dit cela en français, lentement, assez haut.

Et il commença à fouiller sa valise, la vidant presque, sortant des vêtements, du linge soigneusement plié, des souliers...

Il n'y avait pas un papier, pas un dossier, pas un carton. Au fond, deux ou trois lettres de petit format, décachetées.

« Ah! voilà. »

Il sortit d'une des enveloppes un instantané, le tendit à la jeune fille.

M. Boudier n'avait levé les yeux qu'un instant au-dessus de son *Bædeker*.

Un instant, pas plus.

Mais Gilles était certain qu'il ne chercherait plus à forcer la valise, et que même sa passion pour les étiquettes d'hôtel serait fort diminuée.

VI

DREIMÄDELHAUS

GILLES l'aperçut tout de suite au bord du quai.

Il agitait une énorme canne en bois tortillé au bout d'un petit bras court. Ses cheveux flambaient au-dessus de son large visage.

« Franzl... »

Il trotta sur ses grosses petites jambes jusqu'au compartiment.

« Quel plaisir! Je suis si content. »

Les petits yeux, noyés dans la graisse, brillaient de joie et d'intelligence.

Gilles lui passa son sac par la fenêtre, le rejoignit sur le quai.

« C'est magnifique que tu sois à Vienne. Qu'est-ce que tu viens faire, mon vieux? »

Il agitait sa canne avec une exubérance menaçante pour les voisins, s'agitait.

Gilles était très heureux de le revoir, mais il aurait voulu qu'il se calmât.

« Un reportage... »

L'autre s'immobilisa, stupéfait.

« Comment, tu n'es plus... »

Gilles lui pinça le gras du bras.

Boudier passait à côté d'eux, avec sa femme, et un porteur chargé d'innombrables paquets.

Il salua.

Gilles répondit aimablement.

« Bonsoir, monsieur. »

En avant d'eux, un pull-over cerise s'éloignait. La tête d'Ergstein dépassait le flot des voyageurs.

Gilles prit son ami par le bras, l'entraîna.

« Ne dis rien, je t'expliquerai... As-tu une voiture? »

Franzl n'était plus agité que de légers sursauts.

« Non... on va prendre un taxi. »

Gilles parlait presque bas.

« Tu vois, le grand monsieur en gris devant nous, là-bas?

— Avec une valise jaune?

— Oui. Il ne faut pas le perdre. Tu expliqueras au chauffeur.

— Bon, bon », dit Franzl en hâtant le pas.

Gilles le retint.

« Pas trop vite, sans en avoir l'air... »

Franzl prit aussitôt une expression de mystère. Son petit nez frémit au milieu de ses larges joues.

« C'est passionnant », murmura-t-il.

Tout alla bien jusqu'au bout de Maria-Hilfer. Les deux taxis se suivaient à trente ou quarante mètres. La grande rue populeuse, bordée de magasins, était très animée, mais la circulation des voitures se faisait rapidement, sans encombrement.

A chaque croisement, Gilles serrait un peu les poings, craignait un accident. Il fallait s'habituer à ce que les voitures gardassent leur gauche.

Franzl bouillait d'impatience contenue.

« Raconte-moi. C'est un crime?

— Non, plus tard. Ce serait trop long... Laisse-moi regarder Vienne. Ça ne te semble pas étonnant que je sois à Vienne?... Tu te souviens, quand tu me parlais de Eisvogel, boulevard Saint-Michel?

— Oui. Nous y dînerons ce soir, hein. Tu descends chez moi, bien sûr?

— Si ça ne te dérange pas.

— Ta chambre est prête... c'est-à-dire, un divan dans la salle à manger. Ça ne te fait pas peur?

— Je serai ravi.

— Combien de temps restes-tu?

— Aucune idée... En tout cas, il faut que je sois lundi matin à Paris. »

Franzl avait des mains grasses, de petits doigts courts. Il désigna le taxi qui les précédait.

« Qui est-ce? demanda-t-il à mi-voix.

— Je ne sais pas. »

Il regarda son ami avec un étonnement mêlé d'admiration.

« C'est passionnant. Et elle?

— Je ne sais pas non plus. Une jeune Hongroise...

— Eh!... Eh! » dit Franzl.

Ses yeux disparurent parce qu'il souriait.

Gilles n'en revenait pas de la grosseur de son ami, étalé sur les trois quarts de la banquette, dans un complet qui faisait accordéon de partout à cause de la graisse, son énorme canne en bois tortillé reposant entre ses jambes.

Il ne put s'empêcher de lui dire :

« Mon vieux, tu n'as pas maigri...

— Vraiment? » dit Franzl avec une nuance de tristesse résignée.

Puis, il s'exclama :

« Regarde, nous arrivons sur le Ring! »

La Maria-Hilfer Strasse débouchait sur ce boulevard circulaire qui entoure le cœur de Vienne d'un anneau de verdure. Le Ring!... Gilles était donc sur le Ring qu'il avait si souvent désiré connaître. Une petite onde d'émotion le parcourut, parce qu'il pensait qu'un de ses rêves se réalisait.

Le taxi stoppa brusquement. Un tramway s'était arrêté au croisement. Des gens descendirent, d'autres montèrent. Gilles, sur un écusson, lut : *Schönbrunn*. Il fit un nouveau bond dans le rêve. *Schönbrunn*... Le Roi de Rome... la gloriette au fond du parc!... Aurait-il le temps d'aller voir tout ça?

Le chauffeur tourna vers eux un regard interrogateur.

« Eh bien? »

Dans l''encombrement, la voiture d'Ergstein avait disparu.

« Où faut-il aller? » demanda Franzl décontenancé.

Gilles haussa les épaules.

« Si je le savais! »

*

Gilles aurait été plus découragé si le dépaysement n'avait pas agi sur lui à la manière d'un analgésique.

Il marchait, un peu au hasard, dans une rue chaude dont il ne savait pas le nom. Il regardait l'aspect différent des boutiques, les gens qu'il croisait. Franzl lui avait dit :

« Marche tout droit, et puis tu tourneras à gauche sur le Ring. Rendez-vous à huit heures au café Impérial. »

Il s'était baigné, il avait changé de linge. Comment retrouver Ergstein? Tout en s'habillant, il avait mis son ami au courant de l'affaire en quelques mots, et Franzl était terriblement excité à l'idée d'être mêlé à une enquête secrète. Il l'avait remonté avec enthousiasme.

« Je connais Vienne comme ma poche, et je connais tout le monde, dans tous les mondes. Je te le retrouverai, ton géant. J'ai des amis au ministère de l'Intérieur; au besoin je les ferai agir discrètement. Ne t'inquiète pas. Promène-toi jusqu'à ce soir... Il faut que j'aille à mon bureau, mais je vais m'occuper de toi en même temps. Tu ne peux rien faire tout seul, va visiter la Hofburg et la Stephanskirche. Promène-toi sur le Ring... »

Et Gilles se promenait.

Vienne était vidée par l'été, il y avait très peu de monde dans les rues. Tout ce qui ne travaillait pas était à la piscine, ou réfugié à l'ombre des cafés.

L'imagination de Gilles travaillait sur deux plans.

Chaque heure perdue éloignait les possibilités de retrouver Ergstein et le dossier du Z 392. Il avait dû déjà le transmettre à un complice qui l'attendait, ou peut-être était-il reparti, ou peut-être Maridi l'emportait-elle vers une autre frontière. Elle était bien jeune et bien jolie avec ce reflet rose du pull-over sur sa peau brûlée de soleil. Bien jeune pour faire partie d'une bande... Pour qui travaillait Ergstein, pour quel gouvernement?

Gilles, marchant au hasard dans une ville étrangère, ne savait plus s'il était parti ou non sur une fausse piste, s'il ne s'était pas accroché à tort à la double clef, au coup de téléphone, à la mystérieuse autorité d'Erika qui n'était peut-être que le jeu d'une femme consciente de sa beauté.

Mais cela ne l'empêchait pas d'observer, d'enregistrer les images, de goûter le plaisir singulier que lui donnaient toujours le voyage, la découverte d'un pays nouveau. Si seulement il avait eu Françoise avec lui pour partir à l'aventure à travers Vienne. Pauvre Françoise chérie, qui devait taper des lettres à cette heure-ci, rue des Mathurins : « Monsieur, nous avons bien reçu... »

Il suivait le Ring, maintenant. Il avait tourné à gauche comme le lui avait dit Franzl. La large avenue plantée d'arbres était bordée sur la droite de beaux immeubles, sur la gauche longeait un parc.

Il essayait de s'orienter.

« Ce doit être Stadtpark, pensa-t-il. En continuant, je vais arriver à l'Opéra. »

Il y avait très peu de voitures, très peu de piétons.

Une petite vendeuse lui offrit des fleurs mauves dans une corbeille.

« Cyclamens... cyclamens... »

Vienne était-elle aussi pauvre que le disaient les journaux? Sa première impression était celle d'une ville un peu morte, sans doute, mais luxueuse encore, et sans tristesse.

Des bouffées de musique lui arrivaient. Un orchestre devait jouer dans Stadtpark.

Il hésita. S'asseoir un moment à l'ombre, prendre le thé sous les arbres?

Non. Il n'aurait pas la paix. Il ne pourrait pas avoir la paix tant qu'il n'aurait pas retrouvé Ergstein.

La circulation devenait plus dense à mesure qu'il approchait du centre de la ville. Les terrasses de café se rapprochaient. Devant chaque consommateur en train de lire un journal, il voyait un verre d'eau sur un petit plateau d'argent. Il s'étonna. Vienne était-elle en effet si pauvre que l'on y bût que de l'eau?

« Cyclamens... cyclamens... »

Une autre petite vendeuse l'abordait, lui offrait avec ses petits bouquets d'un mauve rosé, l'âme des bois et des collines qui entourent Vienne.

Il était un peu fatigué, mais il commençait de se sentir mieux.

« Tiens! »

Il reconnut la silhouette à vingt pas de lui.

M. Boudier n'avait pas abandonné la jaquette, mais un canotier de paille noire protégeait sa nuque des rayons du soleil vif.

« Déjà en quête d'architecture baroque? » se demanda Gilles en souriant à lui-même.

M. Boudier marchait assez vite, et Gilles lui emboîta le pas, curieux de savoir où il allait.

Cela ne le mena pas loin. Quelques centaines de mètres et il vit la jaquette s'engouffrer dans la porte d'un hôtel.

Gilles leva le nez.

De grandes lettres dorées : Hôtel Impérial.

« Tiens! » dit encore Gilles.

Deux minutes après, il pénétrait à son tour dans le hall.

Le portier, grâce au Ciel, parlait français.

« Je cherche un de mes amis qui a dû arriver aujourd'hui de Paris... M. Ergstein. »

Le portier consulta le livre des entrées.

« Ergstein?... Non, monsieur, il n'est pas ici.

— C'est curieux, je croyais bien... »

A l'envers, il venait de lire :

Boudier, Alexandre, et Madame.

Il remercia, jeta un coup d'œil dans le hall meublé à l'ancienne mode, luxueux et lourd, avec de grands canapés couverts en velours sombre, très « bon chic » d'autrefois.

Dehors, il s'assit à la terrasse du café de l'hôtel. Il y avait du monde, et des gens élégants. Des femmes surtout, quelques-unes ravissantes, bien habillées.

Un garçon s'approcha, lui tendit trois ou quatre journaux roulés autour de manches de bois. Il les prit pour ne pas avoir l'air, commanda un thé dans le meilleur allemand qu'il put.

Un maître d'hôtel s'approcha.

« Monsieur désire un thé?

— Oui », dit-il.

Sur chaque table, il y avait, dans des corbeilles d'argent, des croissants, des petits pains comme ceux qu'il avait trouvés si bons le matin. Il sentit que lorsqu'il en aurait mangé un ou deux et bu son thé, il serait plus optimiste.

Il s'était assis de façon à surveiller l'entrée de l'hôtel. Ce Boudier, décidément, ne lui disait rien qui vaille.

Il déroula les journaux... *Wiener Tageblatt... Neue freie Presse...*

Il essayait de comprendre, au moins les titres des articles, mais ne reconnaissait guère que les noms propres, dans les dépêches de politique étrangère.

Autour de lui, des femmes parlaient, riaient, saluaient des passants qui parfois s'accoudaient à la balustrade séparant la terrasse du trottoir pour causer une minute. Tout le monde avait un peu l'air de se connaître, comme dans une ville de saison, Nice ou Wiesbaden.

Non, Vienne n'était pas triste.

On lui apporta du thé, et sur un plateau d'argent, un verre d'eau perlant de fraîcheur.

Que faisait donc M. Boudier? Il n'était pas venu à Vienne pour rester enfermé dans son hôtel!

Gilles voyait la perspective du Ring qu'il n'avait pas encore parcouru. C'était le coin des grands hôtels, des beaux magasins. Une longue voiture américaine passait de temps en temps.

« *Sechs Uhr Blatt...* »

Une femme parcourait les tables, vendant sa feuille du soir, très propre dans une grande blouse noire. Un visage qui avait dû être beau, avec des yeux sombres, durs, sans lumière. Presque tout le monde lui achetait un journal.

Le maître d'hôtel qui parlait français se pencha vers Gilles.

« C'est Elsa Gartner... Monsieur se rappelle... Son procès a fait un scandale terrible... Elle était accusé d'avoir tué son mari. On n'avait pas de preuves, elle a été acquittée... Depuis, elle vend des journaux... »

Elsa Gartner?... Oui, Gilles se rappelait. Son procès avait été suivi dans le monde entier.

Il avait à peine fini son thé qu'un garçon se précipita, débarrassa la table. Un autre, immédiatement après, posa devant lui un nouveau plateau avec deux verres d'eau. Il commençait à comprendre ce régiment de verres d'eau sur les tables. Il se sentait presque acclimaté.

Il alluma une « boyard », demanda une carte postale et un timbre.

Qui eût dit, mon amie Françoise, jeudi dernier, à Pontaillac, que je vous enverrais aujourd'hui une carte postale de Vienne?

Il signa, écrivit l'adresse de Françoise, chez ses parents, rue Chardon-Lagache. Carte postale officielle. Il lui écrirait ce soir pour elle toute seule.

Une jaquette noire, un canotier flottèrent devant ses yeux.

Bon. Voici M. Boudier qui remontait le Ring. Pourquoi ne pas faire comme lui?

Auparavant il fallait payer.

Gilles fit signe au garçon.

« *Wieviel?* articula-t-il sans conviction.

— *Zahlen?... Ein schilling und zwanzig.* »

Gilles tendit un billet, c'était plus sûr.

*

M. Boudier, de Château-Chinon, et qui se consolait de ne point voyager en collectionnant des étiquettes d'hôtel, avait l'air de fort bien connaître Vienne.

Sans consulter le *Bædeker* qu'il avait à la main, il prenait une rue puis une autre.

Gilles, derrière lui, regardait les plaques d'émail, essayait de retenir les noms pour pouvoir se reconnaître. Peine perdue, il ne se retrouverait jamais. L'important était de savoir où allait aboutir cette course.

A chaque pas, Gilles eût aimé s'arrêter. De vieux hôtels d'une grâce de XVIIIe siècle, des monuments, des palais bas avec de hautes fenêtres entourées de mascarons où il s'attendait à voir apparaître quelque fin visage sous des cheveux poudrés.

Le secrétaire perpétuel de l'Académie d'Archéologie du Centre ne semblait point préoccupé d'architecture. Il ne jetait pas le moindre regard aux balcons charmants, aux vieilles portes. Il allait droit devant lui.

Brusquement, il tourna, s'engagea sous une haute voûte sculptée en pleine pierre. Gilles reconnut le magnifique mouvement de l'Hercule qu'il avait admiré tout à l'heure, sur une carte postale : la Hofburg.

L'immense cour découverte, la colonnade... c'était bien cela.

M. Boudier traversa l'ancien palais des empereurs d'Autriche sans lui accorder un coup d'œil, ressortit par la porte ouvrant sur le Ring, tourna à droite.

De nouveau des arbres, des tramways, l'impression de ville d'eaux.

Gilles n'aimait pas beaucoup la marche. Il était fatigué. Mais cette diable de jaquette, là-bas, ne s'arrêtait jamais. Il fallait bien qu'elle l'amenât quelque part.

M. Boudier, maintenant, gravissait une petite rampe.

Sur une vaste bâtisse sans style, Gilles aperçut une plaque.

BEETHOVEN

Beethoven avait composé là la *VI*e *Symphonie*. Coïncidence : le premier dimanche qu'il était sorti avec Françoise, il l'avait emmené au concert Colonne, exprès, pour voir comment ce moineau de Paris réagissait. La *VI*e *Symphonie*...

Inconsciemment, Gilles avait légèrement ralenti le pas.

Ce fut à ce moment-là que M. Boudier se retourna.

A peine un regard en arrière par-dessus l'épaule. Et lui aussi se mit à ralentir le pas.

Evidemment, il avait reconnu Gilles.

La rampe l'avait conduit à une sorte de vieille petite place de guingois, bordée de maisons basses. Un autre aspect de la ville soudain, Vienne de mil huit cent trente... On imaginait derrière ces façades, maintenant décrépites, mais avenantes, une aimable vie bourgeoise, la pipe et la bière, les petites séances d'amateurs de musique de chambre.

Gilles, reconnu, n'hésita pas, continua son chemin, arriva à son tour sur la petite place.

M. Boudier était immobile, la tête levée.

Gilles s'approcha de lui, tranquillement.

« Ah! monsieur, nous nous retrouvons dans les bons endroits!... »

Il n'avait pas l'air gêné le moins du monde.

« Oui, dit Gilles vaguement.

— Vous venez voir, comme moi, la *Dreimädelhaus?* Quel charme ont ces vieilles demeures...

— Certes. »

Gilles n'avait pas idée de ce que pouvait être la *Dreimädelhaus.*

Une ravissante petite maison, en tout cas, d'un rococo très pur, avec ses guirlandes de pierre, ses petites fenêtres mystérieuses et douces, les colombes, qui, à cette heure du crépuscule, faisaient autour d'elle leur bruit de soie.

« La Maison des Trois Jeunes Filles!... Ah! monsieur, que cela est émouvant de penser que vécurent là les trois demoiselles que Schubert aima. Schubert, monsieur! Vous aimez Schubert puisque l'une de vos premières visites viennoises est pour ce petit temple de la grâce romantique!... Moi, je vous avoue que je n'ai pas pu résister... Mme Boudier n'est pas encore remise de la fatigue du voyage... »

Il souriait avec malice.

« Je me suis échappé, et vite, vite, je suis venu. Cette maison des Trois Jeunes Filles, j'en rêvais à Château-Chinon. »

Gilles laissait bavarder le vieil homme, regardait autour de lui. La petite place était déserte. Le timbre des tramways qui sillonnaient le Ring au-dessous d'eux était dominé par le roucoulement des colombes. Dans les maisons basses, alentour, les fenêtres étaient closes, les rideaux tirés.

« Est-ce qu'on visite? demanda Gilles.

— Je crains qu'il soit tard! »

La porte de bois était fermée. Une petite pancarte prévenait que l'on pouvait acheter des cartes postales à l'intérieur.

Boudier prit le bras de Gilles, l'entraîna en arrière.

« J'ai scrupule de frapper à cette porte, de troubler ce silence, et peut-être des ombres... J'aime mieux ne pas entrer, m'imaginer que les trois jeunes filles sont en ce moment au salon, et que Schubert vient d'arriver. Il a composé deux ou trois lieder cet après-midi, il va se mettre au piano... Ah! monsieur, veuillez bien m'excuser, cette évocation me transporte, il faut que je sois seul... A vous revoir, monsieur. »

Il s'éloigna d'un pas rapide, prit une petite rue, tourna, disparut.

Gilles s'accouda à une balustrade de pierre.

Le suivre encore? C'était grossier, et inefficace. Boudier était bien trop fin pour se laisser prendre deux fois.

Où voulait-il aller? Gilles n'était pas dupe de son bagou, et de son attendrissement romantique. Cherchait-il, lui aussi, Ergstein?

Il avait l'air, en tout cas, plus renseigné que Gilles, et de savoir ce qu'il faisait. Il ne marchait pas au hasard.

Le commissaire erra sur la petite place. Il regarda sa montre. Sept heures. Une heure encore avant de retrouver Franzl. Qu'est-ce que c'était que ces trois jeunes filles? Il faudrait qu'il se renseignât. L'une d'elles ressemblait peut-être à Françoise.

Il essaya de s'approcher d'un groupe de colombes qui picoraient. Il eût aimé caresser leurs plumes, sentir leur tiédeur. Elles s'envolèrent, d'un bloc, se perchèrent sur une corniche imitant des coquillages. Il crut discerner un reproche dans leurs petits yeux noirs.

Etait-ce l'heure, l'endroit, cette solitude loin de tout ce qu'il connaissait, de tout ce qu'il aimait? Gilles sentit une sorte de spleen qui l'envahissait. Plus même, une sorte d'inquiétude, d'angoisse sourde.

Il marchait de long en large. Il aurait voulu s'en aller, il ne s'en allait pas.

Il avait l'impression d'attendre quelque chose, que quelque chose allait arriver. Mais quoi?

Rien, évidemment.

Il passait et repassait devant les maisons basses aux fenêtres closes. Est-ce que quelqu'un le regardait derrière ces rideaux tirés? C'était peut-être cela, cette inquiétude, cette gêne. Deux yeux fixés sur lui.

Mais les yeux de qui?

Alors seulement, il remarqua un détail qui ne l'avait pas frappé jusque-là. Mais il n'était pas sûr que ce ne fût pas une illusion.

A mi-hauteur d'une fenêtre, un rideau blanc semblait presque collé à la vitre. Comme si quelqu'un se fût appuyé pour discerner son manège à travers la mousseline épaisse.

Et le rideau à cet endroit lui parut légèrement teinté de rose, un rose vu par transparence, comme un reflet.

Comme ce reflet qui éclairait, dans le wagon-restaurant, le cou nu de Maridi.

VII

LA DEUXIÈME JEUNE FILLE

« Est-ce que tu aimes ça? » demanda Franzl, la bouche pleine.

Il avait commandé un vrai dîner viennois, un poulet au paprika, du foie gras en goulasch, des épis de maïs.

« Oui, dit Gilles. C'est excellent.

— Tant mieux. Je suis content. Demain, nous irons au restaurant juif.

— Franzl, je ne suis pas venu à Vienne pour manger. »

Le gros homme se mit à rire.

« Bien sûr, mais ça n'empêche pas. »

Il avait avalé son foie gras en quatre bouchées, avec une rapidité qui tenait du miracle.

Gilles commençait à peine.

« Me diras-tu...

— Attends. »

Franzl but d'un trait un grand verre d'eau glacée.

« Voilà... Je me suis occupé de ton géant. J'ai

fait téléphoner par le garçon de bureau dans tous les hôtels convenables. A l'Impérial, le portier a répondu : « Quelqu'un vient déjà de me demander « M. Ergstein. Il n'est pas arrivé. »

— Le quelqu'un c'était moi.

— Bon. Partout ailleurs, il est inconnu. A moins qu'il ne soit descendu dans un hôtel borgne...

— Je ne crois pas.

— Tu es sûr qu'il n'habite pas Vienne habituellement?

— A peu près. Erika...

— Qui est-ce, Erika?

— L'amie de Maréchal.

— Ah! oui. Elle est excitante, hein? »

Le petit œil de Franzl brillait.

« Ne t'énerve pas, Franzl. Erika a dit qu'il habitait toujours Szeged.

— Alors, il est descendu chez un ami.

— Je le pense.

— C'est plus difficile. Chut!... écoute... »

Le rubato d'une valse de Strauss, prolongé jusqu'à sa limite par le premier violon, imposait sa mélodie d'une sensibilité un peu vulgaire, mais irrésistible.

Gilles regarda autour de lui. Il n'y avait guère de dîneurs chez Eisvogel. La plupart des petites tables blanches dressées parmi des arbres grêles étaient vides. Au bout du jardin, un pavillon blanc, d'une architecture désuète et jolie, abritait l'orchestre de femmes, traditionnel depuis plus d'un siècle. Décor de Vienne d'autrefois, accordé à d'autres modes que les nôtres, à des plaisirs plus lents, plus simples. Gilles goûtait l'anachronisme, sans pouvoir s'empêcher de songer à un film de

Maurice Chevalier, dont une scène se passait dans un restaurant semblable.

La valse s'éteignait, s'enfuyait, emportée par un vent léger vers les arbres sombres du Prater.

« Oui, c'était plus difficile, reprit Franzl. Mais rien n'est perdu. Cet Ergstein n'a pas l'air de se cacher.

— Non.

— Il ira bien quelque part. Et nous, nous irons partout. Une fois qu'on le tiendra... »

Gilles sourit. La méthode était un peu simpliste.

« Si seulement, nous savions quel monde il fréquente. Tu disais qu'à Paris il était tout le temps à Montparnasse?

— Oui. »

Franzl appela un garçon.

« *Herr Ober... Eine media, bitte...* On va recevoir le café ailleurs?

— Où tu voudras.

— Dommage que le Reiss Bar soit fermé!

— Il est fermé! Ça me navre. »

Franzl lui avait si souvent parlé à Paris du Reiss Bar qui était son quartier général!

« Oui. Je ne sais pas pourquoi, mais je suis sûr qu'on l'aurait trouvé là. Enfin, il y en a d'autres.

— Dis-moi, qu'est-ce que c'est la *Dreimädelhaus*? »

On apportait à Franzl un cigare noir, des allumettes.

« Quoi? » demanda-t-il avec un étonnement qui lui fit souffler la petite flamme que le garçon lui présentait.

Gilles répéta :

« La *Dreimädelhaus*... je prononce peut-être mal?

— Non, tu prononces bien... »

Franzl s'était levé comme un ressort, agitant ses petits bras.

« Annel... Annel... »

Gilles se retourna.

Une jeune personne singulière s'insinuait entre les tables, venait vers eux en souriant.

« Quelle chance! dit Franzl. C'est un drôle de numéro, tu vas voir. »

Une mousse de cheveux roux sous un calot marron, minuscule, posé presque verticalement sur une oreille. Un petit visage blanc, sans fard, avec la seule tache des lèvres, ensanglantées d'un rouge mal mis, sans soin.

« Qu'est-ce que tu fais là, Annel?

— Je me promène. »

Elle riait, s'ébrouait comme un jeune chien.

Quel âge? Quatorze ans, ou dix-huit?

« Viens avec nous. Tu vois ce monsieur, c'est un vieux camarade qui arrive de Paris. Parle-lui français. Dis-lui bonjour. »

Elle tendit une patte de collégienne, gentiment. Des ongles douteux sous le vernis aussi rouge que celui des lèvres.

« Bonjour, monsieur. »

Elle avait un curieux accent, d'on ne savait où.

« Vous savez... Franzl croit... mais je sais pas... *Sprechen.* »

Ça avait l'air de l'amuser beaucoup de chercher ses mots.

« *Do you speak english?* demanda Gilles.

— *Yes*... comme français.

— Assieds-toi. Veux-tu un café?

— Oui... oui. »

Où Franzl avait-il été pêcher cette enfant habillée comme un chien savant, et qui avait, pourtant, on ne savait quel charme?

« Qu'est-ce que tu as fait de Finnie?

— Elle dîne quelque part avec un ami. »

Elle se mit à bavarder avec Franzl, très vite, en allemand, chaque phrase coupée d'éclats de rire.

Gilles ne comprenait rien, ne disait rien. Il regardait les yeux de la petite qui, pendant qu'elle parlait, restaient toujours tournés vers le même point : une assiette de gâteaux posée sur une table voisine. Gourmandise?

Il étendit le bras, prit l'assiette, la mit à côté de la tasse de café.

« *Danke schön... Thank you...* Oh! merci... »

Elle remerciait dans toutes les langues, pour être plus sûre, un gâteau dans chaque main.

« Quelle gosse! » dit Franzl.

Gilles ne put s'empêcher de sourire parce que Annel avait l'air tellement contente, et parlait rapidement, la bouche pleine, en retenant les éclats de rire qui lui gonflaient les joues comme une vraie petite fille.

Et pourtant il y avait en elle une sorte de sensualité triste, équivoque, une sorte de buée, de moiteur autour des yeux, et cette légère odeur de rousse autour d'elle.

Franzl expliqua, quand elle eut fini de parler.

« Tu sais ce qu'elle me dit... A partir du 15 ou du 20 du mois, elle et son amie Finnie n'ont plus d'argent, alors elles vivent du premier déjeuner qu'on leur sert dans leur chambre à crédit, et elles ne mangent autre chose que si on les invite... C'est impayable! »

Franzl était secoué d'hilarité; il trouvait cela très amusant. Et Annel aussi.

« Oui », dit Gilles, sans gaieté.

Eisvogel était presque vide. Dans leur pavillon de bois les femmes de l'orchestre jouaient pour eux une valse ancienne. Gilles se sentait terriblement loin de tout, dépaysé jusqu'au malaise... Une humidité légère tombait des arbres sur ses épaules, le mettait au bord du frisson.

Une seconde, il eut envie de prendre la petite main aux ongles douteux, de la serrer, de sentir un peu de chaleur humaine.

L'assiette de gâteaux était vide. Il se leva.

« On part?

— Oui, dit Franzl. On va faire un tour au Wurstel. Tu viens avec nous, Annel?

— Bien sûr! On va tirer, pas? »

Dehors, ils furent tout de suite dans la foule. Des gens de toutes sortes, des boutiquiers, des employés, de vieux ménages, des couples, quelques étrangers. Tous ceux qui étaient chassés de chez eux par l'été, la belle nuit, le besoin d'éviter la solitude. Des bandes de garçons en culotte courte et en chemise de flanelle; des filles de quatorze à vingt ans, la plupart blondes, avec de petites robes de couleurs criardes, qui se poussaient du coude et regardaient de côté. Des musiques de foire qui s'enchevêtraient, se superposaient, dominaient les voix.

Franzl montrait les anciens manèges, les attractions vieilles de cent ans, que l'on conserve pieusement et qui apportent au populaire viennois une gaieté séculaire mêlée d'attendrissement, le Chinois grand comme une maison qui tourne sur lui-même.

Annel marchait entre eux deux, suspendue à leur bras, tirant tantôt d'un côté, tantôt de l'autre.

Un cercle de lumière bougeait dans le ciel.

« La *Riesenrad*... la Grande Roue... A Paris, on l'a démolie. Ici, on n'a pas encore trouvé d'amateur de ferraille. »

Une atmosphère de Luna-Park et d'exposition de 89. De petites automobiles virevoltaient bruyamment sur une piste; parfois une étincelle jaillissait. Le souvenir d'une soirée à la fête de Neuilly avec Françoise traversa l'esprit de Gilles. Ils étaient restés près d'une heure dans une petite auto comme ça...

La chaleur de la marche développait l'odeur rousse d'Annel, mais une odeur si jeune... Elle avait de très jolis yeux quand elle ne riait pas.

Elle demanda quelque chose en allemand à Franzl, d'un ton suppliant.

« Elle ne nous laissera pas en paix tant que nous ne serons pas allés au tir!

— Allons-y. »

Elle fit plusieurs cartons au revolver. Elle visait soigneusement, sûrement, en mordant sa lèvre inférieure avec ses dents. Mouche, à presque tous les coups.

« Singulière petite fille », pensait Gilles.

Elle avait l'air tellement sérieuse brusquement, avec son arme au bout du bras.

« Vous tirez bien, vous savez!

— Il faut...

— Allons, c'est assez! »

Franzl ne pouvait pas rester longtemps en place. Il les entraîna.

« Regarde », dit-il soudain.

Il désignait, d'un mouvement de tête, assez loin devant eux, une silhouette qui dépassait la foule, un homme jeune, très grand.

Ergstein?

Gilles, un moment, l'avait oublié. Presque pas. Assez cependant pour tressaillir.

Annel avait de nouveau passé son bras sous le sien. Elle leva la tête, le regarda.

« Quoi?

— Rien, dit Gilles, marchons. »

Ils hâtèrent le pas.

« Tu crois que c'est lui? » demanda Franzl.

Gilles sifflotait.

Ils avancèrent encore un peu, l'homme devant eux tourna la tête.

« Non », dit Gilles.

Franzl avait un visage désolé.

« Alors?

— Continuons. »

Il avait parlé brièvement, fermement.

Devant eux, une jaquette, un canotier noir.

M. Boudier marchait assez vite, lui aussi, dans la même direction qu'eux.

La petite se taisait. Gilles sentait que son regard allait de l'un à l'autre, et qu'il était, tout à coup, beaucoup moins jeune.

*

« Eh bien, monsieur Boudier, est-ce encore l'ombre de Schubert que vous poursuivez dans cette foire? »

L'homme à la jaquette sursauta imperceptiblement, mais il eut tout de suite son petit sourire entre la moustache et l'impériale.

« Non, non, dit-il, je me promène... »

Ils étaient arrêtés devant une boutique de confiserie. A trois pas d'eux, le grand jeune homme, presque aussi grand qu'Ergstein, mais qui n'était pas lui, achetait des cacahuètes enrobées de caramel.

Annel se cramponnait au bras de Franzl, regardait le vieux monsieur bizarrement habillé avec un étonnement voisin de l'hilarité.

« Mme Boudier est-elle remise de ses fatigues? »

M. Boudier plissa l'œil droit.

« Chut! Elle dort, monsieur, elle dort... A Château-Chinon, vous savez, on n'est pas noctambule. Moi, je suis accoutumé à travailler la nuit. Mais ce soir, n'est-ce pas... »

Il poussa un petit sifflement.

« Les nuits de Vienne, hein?

— Justement, monsieur, justement. Un peu de curiosité...

— Bien sûr. »

Franzl achetait des bonbons.

« Permettez-moi de vous présenter mon ami Franzl Baumann. M. Alexandre Boudier, membre de plusieurs académies... Mlle Annel... »

La jaquette plongea pour un petit salut.

« Je suis charmé.

— Après tout, ajouta Gilles, cette enfant est assez jeune pour n'avoir besoin que d'un prénom.

— Certes, certes... »

Annel tendit gravement la main.

« Bonjour. »

C'étaient bien les deux êtres qui semblaient le moins faits pour se rencontrer.

« Vous faites un tour avec nous, monsieur Boudier?

— Mais pourquoi pas?... Toute cette jeunesse, cette gaieté!... Je me sens rajeuni... Ah! les voyages! »

Annel offrait les bonbons que Franzl lui avait achetés.

« Goûtez, c'est bon.

— J'ai cru un moment, de loin, que ce grand jeune homme était notre compagnon de sleeping, vous savez, celui dont la valise vous intéressait tant.

— Ah! oui, l'étiquette ronde... »

Gilles en avait assez.

« Vous aussi, n'est-ce pas, vous avez cru que c'était lui? »

Boudier avait l'air d'un vieux bébé innocent.

« Moi?... Je ne l'avais même pas vu. Mais, maintenant que vous me le dites, c'est vrai, la silhouette... »

Franzl marchait devant, la petite suspendue à son bras. Il se retourna en riant.

« On monte dans la Grande Roue?... Vous verrez le panorama...

— Oh! oui, c'est amusant... »

Annel était enchantée.

« Allons, dit Gilles. Bonne idée pour prendre une vue de Vienne. »

Boudier avait l'air d'hésiter.

« Mais... »

Gilles le poussa dans le tourniquet d'entrée de l'attraction.

« Venez, venez. »

Les vieux wagons, mal éclairés, tournaient lentement, s'arrêtaient un instant sur la plate-forme.

« Vite », dit Gilles.

Il poussait toujours le vieil homme, le fit monter dans un wagon vide, ferma la portière.

« A tout à l'heure, cria-t-il à Franzl en se penchant avec un clin d'œil.

— Vous nous attendrez. »

Déjà le wagon démarrait, s'élevait insensiblement.

Annel avait l'air un peu étonné, dépité, les bras ballants sur l'embarcadère.

« C'est dommage, dit Boudier. On aurait pu monter tous ensemble... »

Gilles souriait.

« Il y a des moments, cher monsieur, où il faut savoir être discrets.

— Ah! Ah!... »

Boudier sourit d'un air entendu.

« Vous m'en direz tant! »

Ils étaient assis tous deux sur les banquettes étroites, l'un en face de l'autre. Il y eut un petit silence.

« Il y a aussi des moments où il ne faut plus l'être. Qu'en pensez-vous?

— Mon Dieu, je... qu'entendez-vous par là?

— J'entends, monsieur Boudier, que je voudrais savoir trois choses.

— Trois choses?... »

Le vieil homme avait l'air ahuri.

« Oui, trois. D'abord pourquoi vous avez essayé d'ouvrir la valise jaune, ensuite ce que vous alliez chercher près de la *Dreimädelhaus*, enfin pourquoi vous suiviez ce soir l'individu qui ressemblait à notre compagnon de voyage?

— Mais à vous-même, monsieur, puis-je me permettre de demander pourquoi le hasard favorise avec tant de persistance nos rencontres, pourquoi vous avez attendu près d'une heure au café Impérial que je sorte de mon hôtel, pourquoi vous m'avez suivi jusqu'à la Maison des Trois Jeunes Filles, pourquoi ce soir vous m'avez si gracieusement invité à monter dans ce compartiment vide? »

Boudier avait pris sa voix la plus suave. Gilles n'attendait pas une contre-attaque aussi rapide, pourtant il se mit à rire.

« Voilà qui est bien, monsieur Boudier. Et je pense que vous n'avez pas fini de me surprendre.

— Peut-être...

— Nous abandonnons Château-Chinon, le style baroque et la collection d'étiquettes, n'est-ce pas? Jouons la partie libre.

— Tt... Tt... Tt... »

Boudier faisait claquer rapidement sa langue.

« Nous n'abandonnerons rien du tout, cher monsieur.

— Soit. Mais je vous prie de répondre à mes questions. Après je répondrai aux vôtres. »

Boudier regarda une seconde par la vitre.

Le wagon avait parcouru environ un quart de cercle. Les lumières du Wurstel étaient déjà plus petites au-dessous d'eux, et comme absorbées par la grande masse sombre que faisaient les arbres du Prater. Sur la droite, Vienne commençait de se découvrir; des monuments émergeaient dans une buée lumineuse, mais Gilles ne savait pas les reconnaître.

« Aimez-vous l'histoire? demanda brusquement Boudier.

— Pourquoi pas?

— Eh bien, si j'avais le temps, si cette Riesenrad n'accomplissait pas trop vite son mouvement de rotation, je vous ferais un cours d'histoire, monsieur Gilles. C'est une bien belle science, et voyez-vous, je ne puis oublier que je l'ai professée dans ma jeunesse...

— J'ai tout mon temps, monsieur Boudier.

— Oui, mais pas moi, répondit le vieil homme aimablement. Je ne voudrais point que Mme Boudier, si elle s'éveille, s'inquiétât, et j'en aurais pour toute la nuit. Quoi qu'il en soit, je vous dirai seulement, ce que vous savez comme moi, que l'histoire n'est jamais finie. Elle se continue. Elle se fait, en ce moment. Oui, monsieur, pendant que deux hommes sérieux, comme vous et moi, sont en train de tourner stupidement dans le ciel de Vienne, des faits s'accomplissent, que peut-être, dans cent années, un autre Alexandre Boudier apprendra à d'autres élèves à Château-Chinon.

— Encore... »

Gilles n'avait pas pu retenir l'exclamation. Il commençait de s'impatienter.

Mais M. Boudier était inaltérable.

« Je n'y puis rien, j'y suis né, monsieur! Je suis fâché que cela vous irrite.

— Excusez-moi.

— Je vous en prie. Je vous disais donc que l'histoire... Ah! oui... que l'histoire continue de se faire. Eh bien, supposez, monsieur, qu'un petit groupe de savants, qui ont devant eux quelques loisirs et quelques économies à force d'aimer et d'étudier l'histoire faite, se soient mis en tête d'étudier aussi l'histoire en gestation. Ils suivent secrètement les signes avant-coureurs de ces grands mouvements qui modifient l'orientation politique et sociale d'un pays; ils s'attachent aux pas de ceux que le destin emploie, pendant une seconde d'éternité, à être les meneurs d'idées, les meneurs de peuple... »

M. Boudier s'était levé. Il marchait de long en large dans le compartiment poussiéreux. Son regard errait parfois à travers les vitres sur le panorama qui s'élargissait, mais qu'il semblait ne pas voir.

« Ils ont la curiosité d'examiner les rouages, de démonter le mécanisme qui, un beau jour, fera éclater, comme une bombe, une révolution, une croisade religieuse, la chute ou la restauration d'un trône. Ils ont une passion, une seule, qui est de savoir. Il leur faut le secret; il faut qu'ils disparaissent comme des ombres dès qu'une lumière trop vive éclate, qui menacerait de compromettre l'affaire qu'ils suivent. Alors, ils se promènent par le monde sous des prétextes divers, ils publient des mémoires d'archéologie ou de numismatique... »

Le wagon de la Riesenrad était au sommet de sa course. Si l'on ne se penchait pas pour regarder, on ne voyait que l'espace, le ciel immense avec les étoiles d'été qui clignotaient à travers une brume légère.

Boudier s'était tu. Gilles perçut tout à coup les grincements de l'immense mécanique. Une sorte de grand craquement de ferraille rouillée.

C'était invraisemblable, ce vieil homme au vêtement ridicule, allant et venant dans une boîte de deux mètres carrés, suspendue entre ciel et terre, s'agitant comme un jeteur de sortilège, et dont les paroles faisaient se lever autour d'eux mille vies secrètes, mille ambitions inconnues, mille complots dont sortirait peut-être un ordre nouveau pour l'univers.

Un fou?... ou quelque espion trop adroit qui voulait l'étourdir de verbiage?

« Vous avez de l'imagination, monsieur Boudier. »

Gilles voulait voir venir. Mais il avait quelque peine à rester attaché au réel, à ne pas oublier qu'il était perché à quatre-vingts mètres de hauteur avec un singulier bonhomme que le hasard avait jeté dans ses jambes et qu'il voulait faire parler.

Boudier se laissa tomber sur la banquette, épuisé eût-on dit, soudain plus vieux.

« Peut-être. »

Le wagon commençait à redescendre.

Gilles se pencha, aperçut la fuite des rayons de la Grande Roue, les wagons voisins avec leurs lumières pâles.

« Savez-vous où habite Ianosh Ergstein? » demanda-t-il brusquement.

Boudier rouvrit les yeux qu'il avait fermés un instant.

« Pourquoi?

— Parce que j'ai besoin de le savoir. Je ne fais pas d'histoire, monsieur Boudier, mais j'ai une mission à remplir très urgente, très précise. Il faut que je retrouve Ergstein.

— Moi aussi.

— Enfin! Nous allons pouvoir nous entendre. Je ne sais pas quel but vous poursuivez.

— Et je ne vous le dirai pas.

— Soit. Je ne vous dirai pas non plus le mien. Je ne crois pas que ce soit le même. »

Boudier le regarda franchement.

« Je ne crois pas non plus.

— Voulez-vous d'un marché entre nous?

— Pourquoi pas?

— Le premier qui le retrouve prévient l'autre.

— C'est tout?

— C'est tout. Moyennant quoi, je ne m'étonne plus de vos petites promenades archéologiques dans Vienne, et vous ne me trouvez plus pendu aux basques de votre jaquette comme cet après-midi. »

Boudier réfléchissait.

« Qu'est-ce que c'est que cette petite demoiselle, qui est avec votre ami?

— Je ne sais pas du tout. Une jeune camarade à lui. Nous l'avons rencontrée chez Eisvogel.

— Oui. Eh bien, tâchez donc de savoir.

— Je ne vois pas très bien...

— Je l'ai aperçue aujourd'hui, près de la *Dreimädelhaus.* »

Le wagon était redescendu dans une zone où les orchestres du Wurstel devenaient bruyants.

Gilles éleva un peu la voix.

« Que se passe-t-il par là, monsieur Boudier?

— C'est mon secret, monsieur Gilles. Où puis-je vous avertir, en cas de réussite? »

Gilles détacha une feuille de son carnet, écrivit le numéro de téléphone de Franzl.

« Appelez-moi ici. La commission sera faite. »

Le vieil homme mit le papier dans une poche de son gilet, prit un cigare dans un étui.

« Voyez-vous, monsieur Gilles, il y a des gens qui n'aiment pas la vie, qui la trouvent monotone. Ne croyez-vous pas que c'est parce qu'ils ne savent pas la voir?

— C'est bien possible. »

Gilles pensa brusquement à Françoise, à Erika, à Jean Maréchal. Que faisaient-ils tous? Il revécut une seconde l'enchaînement de circonstances qui l'avait conduit jusqu'à cette grande roue fatiguée et grinçante, jusqu'à ce vieux jouet pour adultes qui avait dû servir de cadre à tant d'idylles viennoises. Il se mit à rire.

« Je pense même que vous avez raison », ajouta-t-il.

Boudier regardait par la portière. Le wagon n'était plus qu'à quelques mètres du sol; on entendait des voix, des rires.

« Nous avons très mal vu le panorama, dit-il. C'est dommage.

— Oui », dit Gilles.

*

Boudier sauta lestement sur l'embarcadère, regarda l'heure.

« Mon Dieu!... presque minuit. Voulez-vous m'excuser auprès de vos amis. Je vais me faire attraper. Au revoir. »

Il serra la main de Gilles, se précipita vers le tourniquet de sortie, disparut.

Franzl et Annel étaient dans le troisième wagon. La petite sauta sans employer le marchepied, tomba presque dans les bras de Gilles.

« Et le vieux monsieur? demanda-t-elle tout de suite. Il est si comique.

— Envolé, petite fille. Les vieux oiseaux se couchent de bonne heure. »

Franzl descendait plus lourdement.

« Eh bien, c'est beau, la vue, hein? »

Il avait l'air tout satisfait et joyeux.

« Magnifique. »

Gilles tenait la main d'Annel.

« Je crois que vous avez tapé dans l'œil de M. Boudier.

— Qu'est-ce que c'est « taper dans l'œil »?

— Explique-lui, Franzl. »

Annel éclata de rire quand elle eut compris.

« Oui, reprit Gilles. Il m'a parlé de vous. Il m'a dit qu'il vous avait déjà rencontrée cet après-midi.

— Ah! oui?

— Près de la *Dreimädelhaus.* »

Annel continua de rire. Un peu plus fort. Un peu trop fort, peut-être.

« Mais qu'est-ce que vous faisiez tous à la *Dreimädelhaus*? Tu m'en as déjà parlé tout à l'heure... »

La petite les entraînait, chacun par un bras.

« Où va-t-on? »

Le Wurstel commençait à se vider. Il y avait moins de lumières, et les bandes de filles et de garçons s'étaient mélangées. Il y avait plus de chuchotements maintenant que d'éclats de voix.

Gilles retrouvait l'odeur légère de rousse.

« Allons au Renaissance, veux-tu? proposa Franzl en faisant le moulinet avec sa grosse canne.

— Oh! oui », dit Annel.

VIII

LA TROISIÈME JEUNE FILLE

Une boîte toute rouge, avec des perroquets de verroterie perchés sur des lyres servant de lampadaires. Sans la décoration « rococo » qui donnait à certains coins de la salle un faux air de Hofburg, on aurait pu se croire à Paris ou à Londres aussi bien qu'à Vienne.

Renaissance Bar.

Mais tout disparaissait à cause de la musique, les perroquets, trois Américains muets à une table voisine, deux femmes, une blonde, une brune, qui attendaient au bar d'improbables clients.

« Les meilleurs tziganes de Vienne en ce moment », avait dit Franzl.

Gilles écoutait.

Trois violons, un cymbalum, une contrebasse. Ils n'avaient l'air de rien du tout, d'employés de préfectures, de commis voyageurs. Ils jouaient à leur rythme un air d'opérette que l'on reconnaissait mal sous le travestissement.

Le barman avait apporté du whisky dans des dés à coudre, trois grands verres de soda glacé.

Annel ne riait plus. Elle avait glissé délibérément une petite patte dans la main droite de Gilles, une autre dans la main gauche de Franzl. Son béret avait abandonné la verticale pour former un angle obtus avec son visage, soutenu on ne sait comment par la mousse rousse des cheveux.

« Magyar, magyar! » cria Franzl au premier violon.

Un clin d'œil vers lui, trois accords pour retomber d'aplomb, et le conducteur, penché vers ses compagnons, comme si son violon eût voulu communiquer un secret aux autres instruments, enchaîna un thème triste, en sourdine. Le chant pris, abandonné, repris, commença ses passages d'une corde à l'autre, d'un violon à l'autre, et le cymbalum le suivait, sec et doux, dessinait un squelette de cristal sous le fantôme des sons.

Gilles écoutait, au bord du songe.

Etait-ce la fatigue, ou cette suite d'images trop disparates qui se formait sans cesse dans son esprit obsédé? Il laissait aller les idées sans lien, ne rattachait plus les ficelles qui convergeaient pour lui de tant de visages différents vers le Z 392. Comment diable cette petite Annel pouvait-elle être mêlée à tout cela? Et où voulait en venir l'homme de Château-Chinon avec son cours d'histoire? Et cette musique...

« Il faudrait que tu connaisses la « pusta. »

La voix de Franzl avait résonné d'une façon étrange; elle avait traversé la musique comme un prisme, réfracté soudain de nouvelles images.

« Oui », dit Annel doucement.

Elle avait fermé les yeux pour écouter, renversé sur le dossier de la banquette son petit visage blafard. Il n'y avait presque plus de rouge sur ses lèvres, un peu humides, comme plus sensuelles d'être nues.

La « pusta », l'immense plaine hongroise, animée d'un vent éternel.

Gilles serra la main moite dans la sienne.

« Vous êtes Hongroise, Annel? »

Elle fit oui de la tête.

Erika, Ergstein, Maridi étaient Hongrois eux aussi.

Cette musique, jamais interrompue, évoquait bien un paysage infini. Gilles la sentait comme une caresse trop longue, inachevée, comme cette heure que l'on passe auprès d'une femme que l'on aimerait aimer, et qui part le lendemain pour une ville perdue.

« Pauvre Hongrie! reprit Franzl. Est-ce qu'on s'en occcupe en France? Tu sais qu'elle ne peut plus vivre? »

Gilles fut soudain un peu honteux de son ignorance.

« J'avoue que... je ne sais pas. C'est très loin de Paris, tu sais, la Hongrie. Et puis la politique... Mais je suis sûr que c'est un pays admirable. Vous l'aimez, Annel? »

Elle fit de nouveau oui de la tête, les yeux fermés. Comme ses paupières étaient lourdes! Elle n'avait plus du tout l'air jeune.

Les tziganes subitement s'emportaient d'un élan de galop, toujours plus vite, menaient la dansante czarda comme une charge, comme une folle chevauchée à travers monts et forêts.

Que voulait donc dire le père Boudier avec son histoire en train de se faire, avec ses meneurs de peuple, ses trônes qui tombaient ou se relevaient de la poudre?

Franzl s'agita brusquement sur la banquette, secoua Annel.

« Où est Finnie? Tu crois qu'elle est rentrée?

— Peut-être... je ne sais pas.

— Va lui téléphoner, dis-lui de venir nous rejoindre. »

Il se tourna vers Gilles.

« C'est idiot d'entendre cette musique-là à trois. Quatre, c'est mieux. »

Annel se levait.

« Je reviens. »

Elle sourit gentiment à Gilles.

Les tziganes se turent brusquement. Franzl cria « Bravo » au premier violon qui s'inclina vers lui.

Il y eut un mouvement de va-et-vient dans le bar. Les Américains firent renouveler leurs whiskies lilliputiens. Les deux femmes changèrent de place; la blonde prit le tabouret de la brune, la brune celui de la blonde comme pour conjurer le sort.

« Dis-moi... Est-ce qu'il se passe réellement quelque chose en Hongrie? Un mouvement politique? »

Franzl haussa les épaules. Son veston remonté par la graisse cachait presque entièrement son col bas.

« Des illuminés... c'est sans espoir. »

Gilles n'était plus du tout fatigué.

« Raconte-moi.

— La Hongrie intégrale... un parti de fanatiques qui revendiquent les anciennes frontières, qui voudraient faire revenir l'impératrice.

— Zita?

— Oui. »

Annel revenait, repeignée, poudrée, les lèvres rouges.

« Finnie sera là dans cinq minutes. »

Elle souriait, demanda si elle pouvait avoir un autre whisky.

« Cyclamens... cyclamens... »

Une petite vendeuse passait entre les tables.

Franzl l'appela, acheta quatre bouquets.

« Un pour toi, un pour Finnie... »

Il jeta les deux autres aux deux femmes résignées qui avaient vainement changé de tabouret.

Annel plongea son bout de nez dans les fleurs, plus roses que mauves dans la lumière électrique.

« Ça sent bon. »

Les tziganes avaient repris leur improvisation éternelle, toujours un peu la même, jamais tout à fait, comme la pensée indéfiniment reprise d'un grand amour.

Gilles se demandait ce qu'allait être cette Finnie.

Il voulait écrire à Françoise ce soir. Il n'avait pas eu le temps. Elle allait être furieuse, lui en vouloir. Il aurait soudain donné tout ce qu'il possédait pour qu'elle fût là, pour entendre sa voix un peu grave, tellement douce.

Une grande fille entra, mince, belle, dure. Une petite toque de plumes grises adhérait à ses cheveux noirs, lisses et tirés, qui découvraient l'oreille.

Elle vint à eux, serra la main de Franzl, s'assit entre Gilles et son amie à qui elle dit trois mots à l'oreille.

Annel lui prit la main, la mit dans celle de Gilles.

« Finnie », dit-elle presque bas à cause de la musique.

Gilles baisa les doigts longs, merveilleusement fins, soignés à l'excès.

« Elle ne parle presque pas français, dit Franzl à Gilles. Mais avoue qu'elle est belle.

— Oui », dit Gilles.

Elle comprit qu'on parlait d'elle, eut un bref sourire, prit dans son sac une cigarette.

« *Was wollen sie?* demanda Franzl.

— Cognac. »

Franzl fit signe au garçon.

*

Il y avait une demi-heure peut-être qu'elle était là.

Le chant des tziganes s'éteignait, puis se rallumait. Les perroquets multicolores brillaient sur leurs lyres contournées. Au sixième whisky, les Américains avaient fini par appeler les deux femmes à leur table.

Elle fumait gravement, une cigarette après l'autre, les yeux vides, sans rien dire.

Gilles lui avait fait demander par Franzl si elle était triste.

« Je ne suis pas triste, je suis comme ça », avait-elle répondu.

Elle avait bu son cognac d'une gorgée. Elle fumait.

Que lui dire?

Gilles la regardait. Son profil était net, pur; le nez droit, la bouche un peu grande, d'un beau dessin.

De temps en temps, elle se tournait vers lui avec

un brusque sourire, très joli, comme pour lui dire : « Ça va. Je suis là. Je ne vous en veux de rien. Je suis comme ça. Mais vous ne m'êtes pas antipathique. » Et puis, tout de suite après, elle redevenait grave, inerte; comme s'il y avait quelque chose en arrière d'elle-même qui eût porté définitivement son ombre sur elle.

Gilles l'avait observée pendant un certain temps. Et puis il avait essayé de suivre le bavardage d'Annel et de Franzl. Il ne comprenait pas. Maintenant, il la regardait de nouveau. C'était tellement déroutant, tellement énervant, ce silence, qu'il n'en pouvait plus.

« Est-ce que vous habitez toujours Vienne? »

Elle eut un instant de désarroi, une lueur qui chavira dans ses prunelles. Elle se pencha vers Franzl, qui lui répéta la question en allemand, et elle sourit avec soulagement.

« Non..., vous savez... depuis deux années, seulement.

— Vous êtes Hongroise, vous aussi?

— Oui. »

Elle expliqua quelque chose que Gilles ne comprit pas entièrement, où il était question de ses parents qui étaient morts, et de son frère qui avait été tué pendant la révolution de Bela Kun.

Elle parlait en allemand, choisissant avec application des mots simples pour qu'il comprenne. Mais pas comme quelqu'un qui hésite, qui cherche. Son visage restait sans expression. Toutes les fois qu'elle s'arrêtait avant un mot, Gilles croyait qu'elle ne parlerait plus jamais.

Il voyait les phrases se former lentement sur sa bouche un peu carrée. C'était ses lèvres qu'il regardait, parce qu'on les surveille moins que le regard, et qu'elles trahissent mieux les secrets.

« J'ai une amie hongroise à Paris... Erika Rousnyak... Vous ne la connaissez pas?

— Non.

— Et son cousin, Ianosh Ergstein? »

Etait-ce parce qu'elle se taisait, ou par une inspiration instinctive? Gilles leva le regard vers Annel. Elle aussi le regardait. Elle détourna les yeux très vite. Pas assez pour qu'il n'eût aperçu comme un éclair trouble, une lueur d'inquiétude.

« Non », dit encore Finnie.

Et puis, sans raison, elle eut son brusque sourire, comme un regard d'amitié vers Gilles.

« Avez-vous une cigarette? »

Il n'en avait plus, appela le garçon. Elle choisit dans le panier une boîte de « Khédives ».

Sa main était si belle que Gilles ne put s'empêcher de la prendre, de la regarder. Elle la lui laissa. Il serra doucement la paume sèche et fraîche.

Quel jeu jouait-elle?

Gilles était sûr qu'elle mentait. Sûr qu'elle connaissait Erika et Ergstein, qu'elle était une des mailles de cet invisible filet qu'il devinait tendu autour d'il ne savait pas quoi. Mais plus il avançait, plus il se sentait perdu, égaré dans un milieu qu'il ne comprenait pas. Que faisaient toutes ces filles singulières, dont il n'arrivait pas à déterminer la situation sociale, qui semblaient à la fois si libres et si distantes?

La musique des tziganes agissait sur ses nerfs, lui donnait une sensation de fatigue heureuse, presque de volupté. « Quelle enquête pour Durand! » songeait-il. Et Jean Maréchal devant sa table noire? Imaginait-il qu'il était en ce moment dans une boîte de nuit, à quelques centaines de mètres du Danube, tenant la main d'une femme qu'il connaissait depuis une heure, et qui était peut-être l'anneau de la chaîne mystérieuse au bout de laquelle il retrouverait le dossier Z 392?

Gilles, un peu enivré d'inconnu, pensait avec une lucidité anormale, comme s'il se fût dédoublé, comme si quelque projection de lui-même eût continué d'être là, assis sur la banquette du Renaissance Bar, avec ses perroquets, ses violons tziganes, cette belle fille pure et dure, comme une énigme, cependant que le vrai Gilles, celui de Paris et de Françoise, le commissaire Gilles, de la Police judiciaire, échafaudait un plan précis pour retrouver un document volé.

Il avait fermé les yeux un instant. Une fraîcheur sur son front les lui fit rouvrir.

Finnie s'était un peu tournée vers lui. Elle avait pris sur la table la petite botte de cyclamens rose, et elle lui barbouillait doucement le visage de fleurs, en le regardant fixement.

C'était tellement inattendu qu'il resta sans bouger, respirant l'odeur frêle, printanière, comme une bouffée d'aurore dans la nuit avancée.

« Allons chez le Polonais », s'écria tout à coup Franzl en se levant.

Annel sauta de joie, donna une tape sur son béret pour achever de le mettre de travers.

Finnie mit la boîte de « Khédives » dans son sac, se leva sans rien dire.

Dans la rue, elle prit le bras de Gilles, s'appuya, tout naturellement.

Il n'y avait aucune provocation dans son geste. Gilles sentait à il ne savait pas quoi, qu'elle voulait faire camarade, éviter toute équivoque. Mais il respirait encore l'odeur des cyclamens attachée à son visage.

Les deux autres marchaient devant. Les grosses ampoules de lumière suspendues au milieu de la Rotenturmstrasse écrasaient ou allongeaient leurs ombres.

Finnie, à mi-voix, chantonnait un blues.

Et Gilles pensa que c'était une femme qu'on pourrait aimer.

Une curieuse boutique, celle de ce Polonais. Des piles de sandwiches de toutes les couleurs, choux rouges, œufs pilés, filets de poissons, paprika; des abricots, des prunes dans un coin. Deux mètres carrés, pas un siège. Et ouvert toute la nuit, avait dit Franzl.

Annel se rua comme une petite bête.

Finnie resta sur le seuil, dans l'ombre.

« Vous ne prenez rien? lui demanda Gilles.

— Non, merci. »

Il n'entra pas non plus.

Annel dévorait des sandwiches, étouffait, demandait un verre d'eau.

Finnie, un moment, laissa aller sa tête sur l'épaule de Gilles.

« *Ich bin müde* », murmura-t-elle.

Annel sortit en se tapant sur le ventre.

« J'ai trop mangé! »

Son petit nez luisait, sans poudre, au-dessus de ses lèvres dont le rouge manquait par places, comme faites de ces pierres roses pâles qui sont marquées de taches plus foncées.

« *Ich bin müde.* » De quoi Finnie était-elle fatiguée?

Gilles s'approcha de Franzl.

« Arrange-toi pour qu'elles déjeunent avec moi demain. »

Franzl cligna de l'œil.

« Entendu. »

Elles habitaient à deux pas.

Gilles, cette fois, prit le bras d'Annel.

« Voulez-vous me guider un peu dans Vienne, demain, petite fille?

— Bien sûr.

— Et si vous êtes sage, je vous ferai rencontrer votre amoureux.

— Qui? »

Elle écarquilla les yeux.

« Le vieux monsieur comique.

— Oh! oui. Il me plaît. »

A leur porte, Franzl convint du rendez-vous.

« Une heure, au café Impérial. Ça te va?

— Très bien. »

Annel, subitement, tombait de sommeil. Elle ôta son béret, comme si elle commençait de se déshabiller, pour aller plus vite.

« Bonsoir, dit-elle en français. A demain. »

Elle embrassa Franzl sur les deux joues.

« *Good night* », dit Finnie.

Gilles garda sa main fraîche dans la sienne comme pour la retenir. Il la regarda, un peu longuement, de face. Jusque-là, il ne l'avait guère vue que de profil.

Elle fut tout à coup d'une extraordinaire beauté; avec un regard profond, doré, un regard qui allait à travers le temps, qui prenait du visage de Gilles une image comme pour la retenir, la conserver, la retrouver dans bien des années, peut-être, au hasard d'une heure de nuit, d'un chant tzigane, d'un parfum de cyclamen.

Et il y avait une onde de sourire immobile sur ses traits. Ses narines ne bougeaient pas, ni sa bouche entrouverte sur ses dents pures, sa bouche carrée comme celle du masque grec de Cassandre avant la prophétie.

« Dormez bien, dit enfin Gilles.

— Oui. »

La porte se referma sans bruit.

« Eh bien, mon vieux, ça n'a pas l'air d'aller mal.

— Tais-toi. »

Gilles recula, s'appuya au mur de l'autre côté de la rue, examina la façade de la maison des deux jeunes filles.

Au deuxième, une vitre éclairée brillait.

« Qu'est-ce qu'il y a? demanda Franzl à voix basse.

— Chut! »

Une seconde fenêtre s'éclairait à côté de la première.

Plusieurs minutes passèrent. Gilles ne bougeait pas.

« Je n'en peux plus, murmura Franzl. Qu'est-ce que tu attends?

— Rien, dit Gilles. Allons. »

IX

FLOCKY

GILLES remontait lentement la Kärntnerstrasse.

Il s'arrêtait, un peu au hasard, devant les bijouteries, les belles devantures des maroquiniers. Rapporter un souvenir à Françoise. Mais quoi? Un sac, peut-être.

Il avait dormi comme une masse jusqu'à neuf heures, mangé un solide « fruhstuck » que la servante de Franzl lui avait apporté avec un sourire. Les petits pains de Vienne étaient décidément incomparables. Il se sentait reposé, dispos.

Dans la lumière du matin, saine et fraîche, la nuit de la veille lui semblait faire partie d'un rêve, ou d'un souvenir déjà lointain. L'avait-il vécu, l'avait-il lu dans un livre, un de ses romans fantastiques qui prolongent l'insomnie au lieu de l'abréger?

Il croyait avoir dormi d'un sommeil sans songes, et voici que peu à peu des parcelles se détachaient de la réalité, se rejoignaient, composaient un cauchemar. C'était dans un cauchemar qu'il avait compté toute la nuit, interminablement, les rayons d'une roue démesurée qui avait trois cent quatre-vingt-douze wagons, cependant qu'un M. Boudier, déformé jusqu'au grotesque, le suivait en jouant d'un étrange violon dont la caisse avait la forme de la Hongrie, avec Finnie et Annel qui dansaient, pendues aux basques de sa jaquette.

Pourtant sa singulière conversation avec Boudier dans la Riesenrad était vraie. Et Annel était une petite fille vivante. Et il n'avait pas rêvé que Finnie avait posé la tête sur son épaule. « *Ich bin müde* »... Il entendait encore le son de sa voix. De quoi pouvait-elle être fatiguée?

Un homme, pauvrement mais correctement vêtu, s'approcha de lui. Une ancienne vareuse militaire dont les boutons avaient été changés. L'homme commença un discours dont Gilles ne saisit que des bribes : « ... Blessé de guerre... pas d'argent... » Un visage creusé de faim, des yeux pâles. Le ton était misérable, sans bassesse. Il tendit un schilling.

Arrêté devant une boutique, il regarda l'homme s'éloigner lentement, aborder vingt pas plus loin un Américain qui lisait le *New York Herald* en marchant. La pauvreté de Vienne avait plus confiance dans les étrangers.

Gilles plia *Le Petit Parisien* et *Le Journal* qu'il avait à la main, les mit dans sa poche.

Il était passé à la poste en sortant de chez Franzl. Rien pour lui. Que pouvait faire Erika? Avant de quitter Paris, il avait confié le soin de la filer à un ancien inspecteur en retraite qu'il connaissait bien, et qui employait ses moments perdus à de petites enquêtes privées. Ce Lucien Bour avait mille tours dans son sac, appris au cours d'une longue carrière. Ils avaient déjà travaillé ensemble, et Gilles comptait sur lui comme sur lui-même. Il devait écrire tous les jours. Pourquoi n'avait-il pas écrit?

Et Françoise? Pas le moindre petit mot de Françoise.

Gilles aurait voulu être à la fois à Paris et à Vienne.

Il remontait le Graben. Quelque chose comme la rue de la Paix. Les plus beaux magasins. Mais si peu de voitures. A peine une circulation de dimanche matin dans le cœur de Paris.

Le long des murs, des hommes et des femmes, déguenillés, mendiaient de loin en loin. Ils ne tendaient pas la main. Ils étaient accotés, tout droits, les doigts joints, dans l'attitude de la prière. Et ils regardaient devant eux, comme par discrétion. C'était mille fois plus triste que s'ils eussent demandé, insisté.

Une femme jeune avec deux enfants qui dormaient, un dans chaque bras, les mains jointes. Gilles aimait trop les enfants. Il prit tous les groschen qu'il avait dans sa poche, les tendit à la femme.

« Ça fait mal, n'est-ce pas, cette misère? »

Il reconnut la voix avant de s'être retourné.

Maridi.

« Quel plaisir de vous revoir, mademoiselle. Je croyais que vous ne restiez pas à Vienne.

— Je pensais repartir dès hier soir en effet. Une amie, avec qui je dois faire la seconde partie de mon voyage, a été retardée. »

Ses yeux brillaient de sourire sous un chapeau de

paille claire, à bords étroits. Un petit bouquet de cyclamens mettait une jolie tache sur son tailleur d'été.

« Mais vous, monsieur, quelle est votre première impression de Vienne?

— Excellente. Un peu confuse encore. Vous voyez, je me promène pour prendre contact. Ne voulez-vous point faire quelques pas avec moi? »

Sans répondre, elle se mit à marcher à côté de lui.

« Et votre cousin Ergstein? demanda Gilles tout naturellement.

— Je l'ai quitté hier. Je pense qu'il doit être déjà parti.

— C'est dommage. J'aurais aimé faire mieux connaissance avec lui. Il a des yeux très sympathiques. »

Maridi était sérieuse et simple.

« Oui. C'est un garçon un peu singulier au premier abord. Quand on le connaît, on ne peut s'empêcher de l'admirer. Il est tout en profondeur, vous savez. »

La jeune fille s'arrêta.

« Si jamais vous aimez les cravates, Knize a les plus jolies cravates de Vienne. »

Gilles regarda la devanture. C'était vrai. Il eut soudain très envie d'une cravate de flanelle légère, d'un écossais ravissant, qu'il voyait à travers la vitre.

« C'est le Ciel qui vous a envoyée à moi. Dites-moi où je puis trouver un petit sac à main. Je ne connais pas les magasins. »

Maridi eut un sourire.

« Souvenir de Vienne?

— Exactement. »

Il sourit aussi.

« Mais tout cela est fort honorable, mademoiselle. Je suis fiancé. C'est un peu ridicule, mais c'est comme cela.

— Ce n'est pas ridicule du tout; c'est très bien au contraire. Je vais vous conduire. »

Ils firent quelques pas en silence.

« C'est vous dire que je voudrais que mon enquête fût rapidement terminée, reprit Gilles.

— Votre enquête?

— Ne vous ai-je pas dit que j'étais journaliste? Et je ne sais pas du tout, d'ailleurs, si je n'irai pas jusqu'à Budapest.

— Vous auriez raison. C'est une ville passionnante.

— C'est ce qu'on m'a dit hier soir. Et puis, j'ai entendu les tziganes.

— Au Renaissance?

— Diable, vous êtes bien renseignée, mademoiselle. Comment savez-vous que j'étais hier soir au Renaissance?

— Mais... »

Il y eut un temps d'hésitation imperceptible.

« Je le suppose. A cause des tziganes...

— Ah! oui... Il m'a semblé, en les écoutant, que j'entrevoyais ce que peut être l'âme hongroise. J'ai envie de les entendre chez eux, de connaître la « pusta. »

Maridi se taisait.

« On m'a dit qu'il y avait une agitation politique souterraine, que quelque chose allait peut-être se passer. C'est très alléchant pour un journaliste. »

Cette fois, la jeune fille avait tressailli. Gilles en était sûr. Il poursuivit :

« Voyez-vous, mademoiselle, je n'aime pas beaucoup la démocratie. Je ne sais pas du tout quelles sont vos opinions, ni même si vous en avez, mais ça me fait de la peine que la Hofburg soit vide, qu'il n'y ait plus d'empereur d'Autriche, ni de roi de Hongrie. »

Maridi s'arrêta soudain, le regarda dans les yeux.

« Vous n'avez pas encore vu la crypte des Capucins? demanda-t-elle enfin.

— Non.

— Venez. C'est à côté. C'est par là qu'il faut commencer votre enquête. »

Ils tournèrent une petite rue.

Gilles voulait en avoir le cœur net.

« Vous aviez un pull-over d'une couleur délicieuse, hier. Figurez-vous que j'ai eu une curieuse hallucination. J'ai cru l'apercevoir, avant dîner, à travers la fenêtre d'une petite maison, près de la *Dreimädelhaus*. J'ai failli frapper au carreau, pensant que c'était vous. »

Maridi marchait plus vite. Elle ne répondit pas tout de suite.

« Vous avez de l'imagination! » dit-elle enfin avec un rire un peu forcé.

Ils arrivaient sur une place rectangulaire, de vieux style.

Une petite porte basse, près d'une chapelle guère plus grande qu'une chapelle de couvent.

KAPUCINERGRUFT

« Entrons », dit Maridi.

*

Gilles reprit sa table de la veille à la terrasse du café Impérial.

Une heure moins cinq. Il avait rendez-vous à une heure avec Annel et Finnie. Comment seraient-elles, au grand jour?

Il commanda un Cinzano au maître d'hôtel qui parlait français. Autour de lui tout le monde buvait des cafés-crème.

Au fond de la terrasse, au-dessus d'un *Petit Journal* déployé, il reconnut sous un chapeau haut perché des mèches trop blondes. Mme Boudier devait attendre son mari.

Un garçon lui servit le vermouth dans un verre à liqueur.

« Vienne ne sait pas ce que c'est que l'apéritif », pensa Gilles avec quelque raison.

Le soleil tapait d'aplomb sur le Ring, éclairait les toilettes claires des femmes.

Il avait encore dans les yeux tous les cercueils de bronze qu'il venait de voir dans la nécropole des Habsbourg, poussés en désordre dans les salles aux murs de marbre gris, comme des baignoires désaffectées dans on ne sait quel funèbre établissement de bain.

Ces lourds sarcophages apportés là par la marée de dix siècles d'histoire, ne l'eussent pas ému s'il n'avait pas mis en branle lui-même son imagination, s'il ne s'était pas excité l'esprit avec tout ce que lui dictait ses souvenirs de collège. Depuis l'ancêtre Mathias jusqu'à la place vide qui attendait la dépouille de l'empereur Charles, quelles cendres du destin remplissaient cette crypte?

Maridi marchait à côté de lui, sérieuse, attentive à lui résumer les explications que donnait le jeune capucin gardien des tombeaux. Marie-Thérèse dominait tous ses enfants. François-Joseph reposait entre Elisabeth et Rodolphe. Sur le coffre modeste du duc de Reichstadt, une main inconnue avait posé un petit bouquet tricolore.

« *Et maintenant, il faut que Ton Altesse dorme...* »

Gilles avait murmuré le vers du poète, presque malgré lui.

Et Maridi lui avait dit :

« Vous voyez, le Père Capucin appelle le Roi de Rome : « Notre duc. » C'est une mémoire très aimée. »

Pourquoi l'avait-elle conduit dans cette crypte? Après elle l'avait quitté très vite, sans qu'il puisse lui parler.

« Je suis horriblement en retard, il faut que je me sauve. Excusez-moi... »

Il n'avait pu que murmurer un vague remerciement. Elle avait disparu au coin de Maüsell und Shadn.

Mme Boudier avait replié son journal. Elle s'éventait avec un petit ventilateur de poche, un peu rouge sous une couche épaisse de crème et de poudre. Un homme à vareuse militaire passait lentement, s'arrêta devant elle, de l'autre côté de la balustrade de pierre, commença un discours. Elle le regarda d'un œil tellement épouvanté qu'il se tut, haussa imperceptiblement les épaules, s'en alla.

Gilles eut envie de rire et demanda un second Cinzano.

« Hallo!... »

Annel tendait sa petite patte. Une Annel toute fraîche en robe d'imprimé jaune serin et bleu, béret jaune, également serin.

« Diable, pensa Gilles, il faut renoncer à passer inaperçu! »

« Bonjour... Vous avez dormi?

— Bien. Et vous?

— Moi, oui. Maintenant, j'ai faim, vous savez.

— Où allons-nous déjeuner?... C'est vous qui me conduisez.

— Stadtpark?

— C'est bon?

— Oui, très. »

Elle ne s'était pas assise, restait debout, plantée devant la table.

Gilles aperçut Mme Boudier agitant son éventail pour appeler son mari qui arrivait.

« Diable, pensa de nouveau Gilles, que va-t-il se passer? » Son allemand était insuffisant pour qu'il pût expliquer à Annel de n'avoir pas l'air de connaître Boudier. En français, elle ne comprendrait pas.

« Est-ce que nous n'attendons pas Finnie? »

Annel prit un air malin.

« Non. Vous savez... elle s'excuse beaucoup, elle a un ami qui est descendu du Semmering pour la voir.

— Elle ne vient pas?

— Non. »

Gilles était un tout petit peu déçu. Mais ne savait-il pas d'avance qu'elle ne viendrait pas?

« Un flirt! »

La petite sourit.

« Oui. »

Il se leva, prit Annel gentiment sous le bras.

« Alors, allons. »

Peut-être qu'en manœuvrant adroitement entre les tables...

Mais Annel s'était engagée déjà dans la travée qui passait devant le couple Boudier. Elle aperçut le canotier noir, la jaquette, s'arrêta pile. Gilles la poussa.

« Venez. »

Boudier les vit, se souleva sur sa chaise pour un salut cérémonieux.

Gilles s'inclina. Annel agita ses cheveux roux avec un petit clin d'œil.

Il l'entraîna, pas assez vite pour ne pas entendre :

« Qu'est-ce que c'est que cette créature? »

Mais déjà Annel, dehors, pouffait.

« C'est sa femme?

— Oui.

— Eh bien... je comprends qu'il se promène le soir!... »

*

La terrasse du Kursalon, au Stadtpark, était assez bruyante. Il faisait chaud, en dépit des arbres proches.

Qu'est-ce que c'était que cet ami du Semmering? Une fable? Gilles s'énervait. La conversation était lente avec Annel qui panachait ses phrases d'allemand, de français, d'un peu d'italien.

Elle faisait tout ce qu'elle pouvait, avec beaucoup de bonne volonté gentille.

« Il y a combien de temps que vous connaissez Finnie? »

Elle réfléchit.

« *Sieben,* dit-elle enfin. Sept.

— Sept mois?

— Non... années. »

Gilles précisa un soupçon qu'il avait eu plusieurs fois.

« Est-ce qu'elle est... votre amie? »

Annel le regarda une seconde, sourit.

« Non, non. »

Puis, sans transition, elle désigna du doigt une Wiener Schnitzel qui restait dans le plat servi.

« Vous ne mangez plus?

— Non, j'ai fini. »

Elle fit signe au garçon, et lui dit une phrase dont Gilles ne saisit pas tout le sens, dans laquelle il était question de papier et de Flocky.

« Flocky, expliqua-t-elle en français, c'est un nom de chien.

— Vous avez un chien? demanda Gilles.

— Non, je n'ai pas... »

Elle se pencha vers lui. Il sentit la chaleur de sa bouche tout près de son oreille.

« Flocky, c'est Finnie et moi.

— Comment?

— Oui... nous avons inventé Flocky pour les garçons de restaurants, et ils connaissent tous son nom. Alors, quand nous sommes invitées, l'une de nous dit à l'autre en faisant une grosse voix : « Tu « as encore oublié de donner la... » Comment vous dites manger pour un chien?

— Pâtée, la pâtée...

— Oui... « tu as oublié de donner la pâtée à

« Flocky. Flocky va mourir de faim. » Et puis nous demandons un papier au garçon pour emporter ce qui reste des plats. Cette Wiener Schnitzel... *das ist sehr gut...* c'est bon, froid... pour déjeuner demain. »

Et comme le garçon arrivait :

« Flocky aime beaucoup ça, ajouta-t-elle tout haut. Il va être bien content. »

Gilles était désarmé, un peu touché au fond, quoiqu'il ne voulût pas se l'avouer. Il pensait à Françoise dont l'enfance parisienne avait été dure, et qui n'avait pas mangé tous les jours quand sa mère avait eu cette maladie qui l'avait empêchée de travailler pendant un an.

« Vous avez encore vos parents, Annel?

— Ma mère, oui. »

Elle fit un geste.

« Là-bas, au bout de la Hongrie. »

Gilles eut envie de lui faire plaisir tout à coup.

« Qu'est-ce que vous voulez, mon petit? Des fraises des bois? De la crème?

— Oui, des fraises. Je veux bien. »

Le garçon revenait avec un petit paquet proprement ficelé.

Il commanda des fraises par l'intermédiaire de Annel.

« J'ai vu une de vos compatriotes ce matin.

— Ah! oui, qui cela?

— Je ne sais pas son nom. Elle était hier dans le train. C'est une cousine de Mme Rousnyak.

— Maridi? »

Annel avait prononcé le nom sans le vouloir, un peu trop vite.

Gilles la regarda. Et elle devint rouge.

« Vous la connaissez?

— Non, non... »

Elle se baissa, comme pour ramasser sa serviette. Un geste maladroit. Elle le sentit, devint encore plus rouge.

« Vous... vous en avez parlé hier.

— Vous en êtes bien sûre?

— Comment saurais-je? »

Gilles hésitait à la malmener. Elle avait depuis quelques secondes l'air si malheureux. Pourtant...

« Tout cela n'est pas clair, Annel. »

Il lui avait pris la main doucement en lui disant cela, comme pour s'excuser.

« Pas clair?

— Non. Pas du tout. Est-ce que vous espérez me rouler?

— Rouler? »

Comprenait-elle? Ou bien faisait-elle semblant?

« Oui. Rouler... enfin, tromper.

— Je ne comprends pas... »

Elle regardait à droite et à gauche, désemparée. Subitement, son regard s'arrêta avec une lueur de délivrance.

« Tiens, voilà Finnie...

— Elle arrive bien, celle-là », maugréa Gilles en se retournant.

Elle vint à eux d'un pas tranquille. Ses cheveux lisses brillaient dans la lumière vive.

Elle eut pour Gilles, en lui tendant la main, son brusque sourire.

« Ton ami est déjà parti? demanda Annel.

— Non, à quatre heures. Je viens seulement vous dire bonjour et m'excuser.

— Voulez-vous prendre un café avec nous? »

Elle s'assit en face de Gilles.

« Merci. Un cognac, si vous voulez bien. »

Annel avait repris toute son assurance.

« C'est une alcoolique, vous savez », dit-elle en riant.

Finnie n'avait pas compris. Elle demanda à Annel ce que cela voulait dire et se mit à parler en hongrois, rapidement à mi-voix.

Gilles ne voulait rien brusquer. Il tenait Annel, et s'il apprenait quelque chose, ce serait d'elle, par surprise. Il regarda autour de lui. La foule commençait d'envahir les jardins, de s'asseoir autour des tables devant la terrasse du restaurant. Des marchands de journaux, de cartes postales, de cigarettes, circulaient.

Il faisait chaud, avec une brise légère qui rendait l'heure agréable. Il alluma une « boyard », presque avec hésitation. Il n'en avait plus beaucoup. Et après il serait obligé de fumer cette horrible paille jaune.

« Il est vrai que lundi... » C'était exact qu'il fallait qu'il fût à Paris lundi. Encore trois jours... Il y avait des moments où il l'oubliait presque, tellement dépaysé d'être à Vienne, de tous ces visages nouveaux à la vie desquels il était soudain étroitement mêlé. Trois jours... D'un coup l'inquiétude de la mission qu'il voulait remplir reflua vers son cerveau, le rétablit au plus sûr de lui-même. Il n'était plus temps de badiner avec de jeunes Hongroises, et de tourner autour d'un secret. Assez de colin-maillard.

« Vous avez vu quelque chose, ce matin? Pas fatigué d'hier soir? »

Finnie avait bu son cognac d'un trait comme

la veille, allumé une cigarette à bout de soie rouge.

« Et vous? demanda-t-il. Vous n'êtes pas fatiguée? »

Elle comprit sans doute.

« Non, dit-elle doucement. Hier, j'étais. Aujourd'hui je ne suis plus. »

Il raconta sa visite à la Kapucinergruft.

« J'ai vu beaucoup de rois et d'empereurs. Je les aime. Et c'est chez les morts qu'il faut aller les voir, maintenant. »

Finnie ne répondit pas tout de suite. Elle le regarda avec attention.

« Oui. Peut-être... ce ne sera pas toujours.

— Peut-être... Au moins pour vous... Je vais probablement aller jusqu'à Budapest. On parle beaucoup du retour de l'impératrice Zita, en ce moment. Qu'en pensez-vous? »

Finnie écrasa sa cigarette dans sa soucoupe.

Gilles revit Erika au Viking, qui écrasait ainsi ses « Greys » l'une après l'autre.

« Mon père... »

Elle cherchait ses mots.

« ... était aide de camp de l'empereur Charles. »

Elle se leva.

« Excusez-moi... je dois... aller dire au revoir à mon ami. Arrangez avec Annel, pour se revoir. »

*

« Où nous allons? demanda Annel en sortant de Stadtpark.

— Je ne sais pas. C'est vous qui êtes le guide.

— Oui. »

La petite bâilla.

« Il fait chaud.

— Sommeil? demanda Gilles.

— Non, non... »

Gilles avait son idée.

« Moi, oui.

— Moi, un tout petit peu.

— Voulez-vous dormir une heure?

— Comme vous voulez. »

Ils marchaient lentement sur le Ring presque désert. Annel tenait dans la main droite le petit paquet pour Flocky; elle avait passé son bras gauche sous le bras de Gilles.

« Si Françoise me voyait », songea-t-il.

X

LA VALISE JAUNE

GILLES se souleva légèrement sur son coude.

Elle dormait. On imite la respiration calmée du sommeil, au besoin un vague ronflement. Mais pas ces tics nerveux qu'elle avait maintenant, ce coin de lèvre retourné qui découvrait l'émail des dents.

Il regarda la coulée mousseuse des cheveux roux, les cils pâles qui faisaient deux petits arcs d'or sur la peau laiteuse, un peu trop blanche. La robe jaune et bleue, déplacée par l'horizontale, découvrait un bout d'épaule un peu grasse, en dépit de la minceur de la jeunesse.

Il n'était pas très fier de ce qu'il allait faire.

Elle n'avait pas hésité longtemps quand il lui avait demandé la permission de monter se reposer une heure avec elle.

Elle l'avait regardé bien en face.

« Je suis une jeune fille, vous savez. »

Et lui l'avait regardée aussi, dans les yeux.

« Est-ce que vous n'avez pas confiance en moi?

— Si. »

Une chambre banale, comme toutes les chambres meublées. Propre, un peu en désordre. Une brosse à cheveux sur la cheminée, un peignoir, des bas retournés sur le bras de l'unique fauteuil. Dans un verre, les cyclamens de la veille.

Un grand divan qu'elle partageait avec Finnie. « C'est moins cher une seule chambre. »

« Vous pouvez ôter le veston, vous savez. »

Et comme il s'allongeait dans le fauteuil.

« Vous pouvez venir près de moi, vous savez. »

Elle lui avait fait une place sur le divan.

« Bonsoir, maintenant. Vous pouvez m'embrasser sur l'œil gauche. »

Elle s'était endormie en lui tenant la main, comme une très petite fille. Et il y avait cette odeur, à elle, autour d'eux, cette légère odeur de rousse.

Gilles, sans bouger, examinait la chambre. Une porte qui donnait sur le couloir d'entrée. Une autre à droite, qui devait communiquer avec une chambre voisine. La chambre qui était éclairée, la veille au soir.

Doucement, il dégagea sa main des doigts d'Annel, se leva. Elle ne bougea pas. Jusqu'à quelle profondeur allait son sommeil?

Gilles traversa la chambre, se pencha pour examiner la serrure. Elle n'était pas fermée à clef. S'il n'y avait pas de verrou de l'autre côté... Le bouton tourna lentement, sans grincer, la porte s'ouvrit comme d'elle-même.

C'était trop facile.

Une chambre presque pareille, vide, les persiennes closes. Dans la pénombre, il vit le lit défait, les draps rabattus.

Il entra.

Sur la table de chevet, un plateau de petit déjeuner; des serviettes froissées sur le lavabo. Pas un objet de toilette, pas un bagage. Une chambre où l'on avait dormi, que l'on avait quittée.

Il s'approcha du lit; un bruit de papier froissé l'arrêta net. Il avait marché sur un journal déplié.

Une seconde, il écouta si Annel ne bougeait pas. Non. Dans la rue, il entendit une voiture qui s'arrêtait.

Rapidement il se pencha, regarda le titre du journal : *Münchener Zeitung*. La date : *Mittwoch* 21 *August*.

Mittwoch, mercredi. La veille.

Il revit, dans l'angle du wagon, Ergstein lisant le *Münchener Zeitung*, ses grandes mains sur le journal.

Il réfléchit un instant. Des pas rapides retentirent dans le couloir.

Gilles bondit, referma la porte, s'étendit auprès d'Annel immobile, glissa sa main sous la sienne.

La porte s'ouvrit brusquement.

Finnie.

Qu'est-ce qu'il y eut dans son regard? De la surprise, de l'angoisse, une colère vite réprimée?

Gilles avait ouvert les yeux comme quelqu'un qu'on réveille.

Annel s'était dressée, effarée, avec un petit cri, le sein battant.

Finnie soudain se mit à rire. Un rire un peu trop sec, un peu trop rapide.

« Bonjour. »

Elle parla à Annel, en hongrois, sans douceur. Et la petite balbutia :

« Elle vient seulement prendre quelque chose qu'elle avait oublié. Elle s'en va. »

Fallait-il que Gilles s'excusât d'être là? Il se

souleva, s'assit au bord du divan, avec un geste machinal de la main pour se recoiffer.

Mais Finnie ne le regardait même pas. Elle traversa la pièce, ouvrit le tiroir d'une commode.

Gilles ne put pas voir ce qu'elle prenait et mettait dans son sac.

Elle dit encore quelques mots à Annel.

« Bonsoir. »

Son pas, de nouveau, dans le couloir, qui s'éloigne.

Gilles se leva, s'étira comme quelqu'un qui a dormi.

« Fâchée que je sois là, hein? »

La petite était restée dressée, appuyée sur ses poings. Une mèche collait sur son front moite, lui donnait un air d'enfance, dans le rayon de soleil qui entrait obliquement dans la chambre.

« Non, non, pas fâchée. »

Gilles s'approcha de la fenêtre, se pencha une seconde, rabattit le volet.

C'était assez. Il avait vu.

« Ah! c'est mieux, n'est-ce pas? C'est fatigant, ce soleil. »

Il avait vu un taxi fermé devant la porte. Et sur le siège, à côté du chauffeur, une grande valise jaune, avec le cercle rouge de l'étiquette espagnole.

Il revint s'asseoir au bord du divan.

Annel dans l'ombre avait soudain retrouvé son âge. Jamais Gilles n'avait vu un visage dont l'expression pût changer aussi vite, dont les passages de l'extrême jeunesse à la maturité fussent aussi fréquents.

Elle ne disait rien. Elle le regardait, avec une espèce d'interrogation suppliante.

Il l'attira près de lui, mit un bras autour d'elle. Elle respirait un peu vite, pas encore calmée complètement, peut-être, du réveil subit, de l'algarade de Finnie.

« Je le savais, mon petit », dit-il doucement.

Elle ferma les yeux, resta appuyée contre lui, la tête un peu renversée.

« Tout cela est bien difficile pour une petite fille, n'est-ce pas? »

Il était tout près de son odeur, tout près de sa bouche.

Il l'embrassa sur l'œil droit, sentit les cils battre un peu, la laissa glisser sur le coussin.

« Annel, j'ai une course à faire, maintenant. Voulez-vous que nous nous retrouvions plus tard? »

Il regarda l'heure à son poignet. Quatre heures moins le quart.

« J'ai rendez-vous à l'Impérial avec Franzl, à sept heures et demie. Vous viendrez? Nous dînerons ensemble. »

Elle fit oui de la tête.

« Avec Finnie, naturellement. Je pense qu'elle sera libre, maintenant. »

Gilles avait remis son veston, pris son chapeau.

« Au revoir, mon petit. A ce soir. »

Elle fit oui de la tête, sans ouvrir les yeux.

*

Gilles alla tout de suite à la poste.

Enfin! Une lettre de Françoise, une dépêche de Bour.

Il glissa l'enveloppe de Françoise dans sa poche, ouvrit le télégramme.

Un petit rapport sec. Il connaissait la manière de l'ancien inspecteur :

Journée normale. Promenade au bois. Failli la perdre parce que sa voiture va trop vite pour les taxis. Déjeuner chez elle. Pas sortie. Reçu une dépêche vers cinq heures. Sept heures, cocktail au Dauphine avec une amie (inconnue, l'air artiste). Dîner à la terrasse des Marronniers, boulevard Arago avec la même amie. Rentrée vers minuit. Pas ressortie. Fais connaissance avec la femme de chambre.

Dehors Gilles ouvrit la lettre de Françoise.

Sur une grande feuille de papier, deux petites lignes, tapées à la machine.

Bonjour.
Il fait beau.

Gilles ne put s'empêcher de sourire. Avec, quand même, un petit pinçon au cœur.

« Elle aurait pu ne pas écrire du tout », pensa-t-il.

Il revint sur ses pas, rentra dans le bureau de poste, prit une formule de télégramme.

Je vous adore. Ecrirai ce soir.

*

Gilles entra dans le hall de l'Impérial.

« Voulez-vous voir si M. Boudier est chez lui.

— Non, monsieur. Il est sorti tout à l'heure avec madame.

— Bien, je vais lui laisser un mot. »

Le portier tendit un bloc, une enveloppe.

Voulez-vous me retrouver ce soir à sept heures, au café de l'hôtel?

« Remettez-lui ceci dès qu'il rentrera, n'est-ce pas.

— Monsieur peut compter. »

Quatre heures vingt.

Gilles remonta le Ring, regarda avec regret l'Opéra, qui était fermé à cause de la saison. C'était quand même dommage d'être à Vienne et de ne même pas pouvoir entendre un peu de Mozart.

Il prit une rue qu'il ne connaissait pas, regarda les façades des vieilles maisons.

Ergstein était parti. Pour où? Il ne fallait pas songer à courir après.

Deux jours et demi. Gilles n'avait plus que deux jours et demi pour retrouver le Z 392, à travers l'Europe. Il n'y comptait plus.

Pauvre Maréchal! Ce qu'il faudrait, ce serait l'empêcher de sombrer. Gagner du temps. Le tenir en haleine. « La solution du revolver. » Il avait dit cela comme un homme qui le ferait. Mais on ne pense pas à toutes les heures la même chose.

Il faudrait continuer l'enquête, la transporter sur un autre plan, qui peut-être amènerait à découvrir une grosse affaire internationale. En tout cas, les acteurs n'étaient pas des gens vulgaires. On pourrait diriger la presse, ou la museler peut-être par Marcel Durand. Le tout était de sauver Maréchal. Gilles ne pensait plus, comme il l'avait fait le premier jour, « le sauver malgré lui-même », mais bien « le sauver de lui-même ». Parce qu'Erika...

Et Boudier, dans tout ça? Le curieux bonhomme n'était pas facile à faire parler. Le pire est qu'il n'était pas antipathique. Au contraire.

Gilles était en arrêt devant un vieux balcon du XVIIIe siècle d'une élégance de dessin parfaite.

« Quel mauvais mélo, pensait-il. J'ai beau faire, je ne trouve pas le traître. Il me faut un traître avec le physique de l'emploi. Ce n'est pas une raison parce que je suis à Vienne pour que mon drame se change en opérette. »

Il souriait en lui-même. Mais il essayait de l'ironie pour cacher son dépit, son inquiétude. Comment oublier cette nuit d'orage, avec Maréchal secoué de sanglots sur son lit, et cette vie, malgré tout brisée, s'il ne parvenait pas à retrouver le document?

Gilles se jouait à lui-même la comédie d'abandonner la partie. Mais c'était comme pour prendre du recul, pour avoir, de l'extérieur, une meilleure vue de la situation.

Ergstein était loin. Restaient les trois jeunes filles...

Il regarda autour de lui, essaya de s'orienter. Où était-il? Quelque part, du côté de la Hofburg, mais où?

Un taxi passait. Il lui fit signe.

« *Dreimädelhaus* », dit-il.

C'était tout près. Il fit arrêter la voiture au bas de la rampe, devant une terrasse de café. Le Ring commençait à s'animer de promeneurs. Presque cinq heures. Vienne s'éveillait de sa sieste.

Il retrouva les colombes pour l'accueillir, sur la

petite place déserte. La porte de la Maison des Trois Jeunes Filles était ouverte. Mais aujourd'hui, Gilles ne pensait pas à Schubert.

Il n'hésita pas, reconnut la fenêtre de la maison basse, à travers laquelle il avait cru apercevoir, la veille, le reflet du sweater cerise. Toutes les fenêtres étaient closes. Il sonna.

Aucun bruit ne vint de l'intérieur. Il avait reculé de deux pas pour observer les fenêtres. Pas un frémissement de rideau.

Il s'approchait pour sonner encore une fois quand la porte s'entrouvrit, laissa passer une tête de vieille femme avec des mèches grises.

« Mlle Maridi », demanda-t-il.

Un regard soupçonneux, un peu ahuri.

« *Was?* »

Sans faire attention, il avait parlé français.

« *Ist Fräulein Maridi da?* »

La vieille marmotta quelque chose qui voulait dire qu'elle ne comprenait pas.

Gilles essayait de voir, par l'entrebâillement, l'intérieur de la maison. Tout était sombre; il devinait vaguement l'angle d'un meuble, un chapeau d'homme.

Il insista.

« C'est de la part de Ianosh Ergstein. »

Le regard perçant l'examina de la tête au pied.

Il y eut comme une lueur d'hésitation sur le vieux visage.

« *Nein... Nein... Ist nicht hier.* »

Gilles resta un instant devant la porte refermée. Puis il s'éloigna assez vite, traversa la petite place, fit lever le nuage d'ailes battantes des colombes.

Il leva la tête pour les suivre de l'œil, se retourna.

Son mouvement fut assez rapide pour qu'il aperçût un coin de rideau qui retombait.

Il descendit la rampe, se retrouva sur le Ring.

Il acheta des cartes postales à un kiosque, *L'Echo de France,* s'assit à une table de café. Il apercevait la maison que Beethoven avait habitée quelque temps, celle de la *VI*e *Symphonie.*

En attendant son thé, il parcourut le journal, chercha un article de Marcel Durand. Il n'y en avait pas.

Il regarda le va-et-vient des passants, le mouvement des tramways. Tout ce monde était assez animé, la plupart des visages sans tristesse. Il songeait à la suite de hasards qui l'avait conduit jusqu'à Vienne, jusqu'à cette tasse de thé... S'il n'avait pas eu tant d'amour pour Françoise, s'il n'avait pas tiré au clair en une semaine l'assassinat du banquier Gutberg, il serait parti en vacances plus tard dans la saison, il n'aurait pas été à Paris au moment où le dossier du Z 392 avait été dérobé, si...

Voilà. Il en était sûr... Un taxi fermé s'arrêtait au bas de la rampe, une silhouette mince.

Finnie...

*

A sept heures moins le quart, Gilles, qui avait écrit six cartes postales pour Françoise, retourna sur la petite place.

« Allons dire au revoir aux colombes. »

La Maison des Trois Jeunes Filles avec ses guirlandes rococo était comme dorée par la lumière du soir. Il devait être plaisant de vivre là, il y a cent années, de faire de la musique, d'écouter ces roucoulements.

Sur le seuil d'une porte, un enfant jouait avec un chien. Plus loin une femme tricotait devant sa fenêtre ouverte.

Pas un mouvement, pas un bruit dans la maison suspecte.

Gilles s'approcha doucement des oiseaux qui picoraient, et qui, cette fois, se contentèrent de s'écarter et ne s'envolèrent pas.

« Bonsoir, colombes », dit-il à mi-voix.

Qui sait si jamais il reviendrait à Vienne, s'il reverrait la petite place mystérieuse, animée de battements d'ailes et du souvenir de trois jeunes filles?

*

A l'Impérial, Boudier l'attendait déjà. Il avait égayé ses vêtements d'une lavallière à pois blancs.

« Eh bien? demanda-t-il tout de suite.

— Il est reparti.

— Vous êtes sûr?

— Autant qu'il est possible de l'être.

— Vous l'avez vu?

— Non. J'ai vu le plateau de son petit déjeuner; et sa valise.

— Où cela?

— Ceci est une autre question. Le plateau était sur une table de nuit.

— Et la valise?

— La valise sur le devant d'un taxi. »

Boudier n'avait pas l'air satisfait.

« Où est-il allé?
— Je n'en sais rien. Qu'en pensez-vous?
— C'est tout?
— Pour l'instant, oui. Ce n'est pas rien. Et vous?
— Moi? »
Boudier remit sur sa tête son canotier qu'il avait ôté, un instant, pour en essuyer le cuir humide de sueur avec son mouchoir.
« Moi?... J'ai lu les journaux.
— Ah! oui?
— Que voulez-vous, monsieur Gilles, je suis un homme de cabinet, moi. L'histoire...
— Bravo, vous allez de vous-même, cher monsieur, là où je souhaitais vous conduire.
— Comme ça se trouve, murmura Boudier avec un petit rire un peu ambigu.
— Oui. Vous savez que, hélas! je suis bien ignorant de l'histoire du passé et de celle qui est en train de se faire. Et sans vous demander votre secret, puisque c'est une chose convenue entre nous, je voudrais vous poser quelques questions... d'un ordre absolument spéculatif d'ailleurs.
— A vos ordres, cher monsieur, si mes faibles connaissances...
— Trêve de modestie, monsieur Boudier. Dites-moi plutôt en quelques mots quelle est la situation actuelle de la Hongrie.
— Bien faible, monsieur, bien faible. Réduite à des proportions...
— Oui, ça, je sais. Mais quels sont les grands courants qui animent les Hongrois?
— Le peuple est très patriote. Il existe un parti, assez nombreux, qui réclame les anciennes frontières. C'est un rêve.

— C'est pour les rêves que l'on meurt le plus facilement.

— Je sais. On meurt pour ce qu'on peut, monsieur, et le plus souvent pour ce que l'on ne voudrait pas.

— Quelle est la direction politique de ce parti dont vous me parlez? »

Boudier ne répondit pas tout de suite. Il regarda autour de lui, la terrasse pleine, les allées et venues des garçons faisant leur manège de verres d'eau et de plateaux d'argent.

« Les Hongrois ont un fond de mysticisme, reprit-il à voix plus basse, en se penchant vers Gilles comme pour une confidence. Ils n'oublient pas la couronne de saint Etienne, à laquelle sont attachées mille superstitions. Sauf les hommes d'Etat, et ceux qui pêchent dans l'eau trouble du régime actuel, ils sont tous plus ou moins légitimistes. Mais les questions ethniques jouent un grand rôle; il y a la Transylvanie, la Roumanie... le retour de l'impératrice Zita provoquerait presque sûrement une guerre. Il n'y aurait que des exaltés, des fous, pour la tenter.

— Ces fous existent-ils? »

Boudier eut un coup d'œil bizarre.

« Ceci n'est plus de l'histoire, et dépasse ma compétence. Je ne suis pas prophète.

— Ces fous existent-ils? » répéta Gilles avec insistance.

Boudier secoua la tête.

« Je ne suis pas professeur de psychologie, monsieur. Pourtant, ma légère expérience de la vie m'incline à penser que les fous sont plus nombreux qu'on ne croit... »

Il se tut un instant, mais le ton de sa phrase était resté suspendu, comme s'il allait encore parler. En effet, il ajouta à voix plus basse :

« Et les folles. »

De loin, Gilles aperçut Franzl qui se hâtait cheveux au vent, sa grosse canne tourbillonnante.

« Encore une question, monsieur Boudier. Le prince Sixte de Bourbon est bien le frère de l'impératrice Zita?

— Certes.

— Je comprends pourquoi vous lisiez les journaux. »

N'avait-il pas lu lui-même, une demi-heure auparavant, dans *L'Echo de France,* que le prince Sixte faisait un voyage en Hongrie?

« A votre avis, pour où est parti celui que nous cherchons?

— Je n'en ai aucune idée. »

Franzl glissait son gros ventre entre les tables. Il se laissa tomber sur une chaise, près d'eux, en soufflant.

« Bonjour, bonjour... comme il fait chaud... Bonjour, monsieur. »

Il but d'un trait un verre d'eau.

« Est-ce qu'on a rendez-vous avec les petites?

— Oui », dit Gilles.

Boudier se levait.

« Excusez-moi, je dois aller chercher Mme Boudier... Il est tard. Au revoir, monsieur... Bonsoir, monsieur Gilles. »

Il se frappa le front.

« Au fait. Je ne sais pas si je vous reverrai... Comme je suis étourdi!... J'ai omis de vous dire que je partais demain pour Budapest. »

Gilles sourit.

« Déjà fini l'étude du baroque autrichien?

— Que non pas, que non pas!... je reviendrai. Une simple excursion. »

Gilles lui serrait la main.

« N'oubliez pas votre promesse, monsieur Boudier. Un petit télégramme de vous, 18, rue de Valois, me ferait grand plaisir.

— Vous partez aussi?

— Sans doute, demain peut-être. Après-demain sûrement.

— Comptez sur moi. 18, rue de Valois, je vais l'inscrire tout de suite. »

Il s'inclina encore une fois, souleva son canotier.

« A vous revoir, messieurs. »

Franzl avait l'air tout désolé.

« Ce n'est pas vrai, tu ne pars pas?

— Mais si, mon vieux. Tu sais que je dois être lundi à Paris.

— Pourtant... »

Il l'interrogeait du regard.

Gilles se pencha vers lui.

« Ergstein n'est plus à Vienne », dit-il presque tout bas.

Les petits yeux vifs de Franzl s'ouvrirent aussi grands qu'ils purent dans leurs plis de graisse.

« Tu l'as retrouvé? »

Gilles mit un doigt sur ses lèvres.

« C'est prodigieux! »

Franzl se pencha à son tour, et lui demanda à l'oreille :

« Pour où est-il parti. Paris?

— Non. Budapest.

— Tu es étonnant! Comment as-tu fait? »

Gilles hésita une seconde.

« Le hasard, mon vieux. Je me promenais le nez en l'air. Soudain quelque chose me tire l'œil. Devine quoi? »

Franzl engloutissait en deux bouchées un gâteau plein de chocolat et de crème fouettée.

« Un géant, dit-il, la bouche pleine.

— Non, une valise.

— Comment?

— Oui, la valise d'Ergstein, à côté d'un chauffeur, sur le devant d'un taxi. J'ai suivi. Voilà tout.

— Extraordinaire. Mais d'ailleurs, je t'avais bien dit que tu le retrouverais. Qu'est-ce que tu vas faire maintenant?

— Tais-toi. Voilà les petites. »

*

Ils avaient dîné à Cobenzl, sur une terrasse fleurie d'arceaux de roses. A leurs pieds, Vienne s'étendait avec toutes ses lumières. Une grosse lune jaune faisait au loin briller la courbe du Danube, comme une boucle pâle.

Un décor de féerie.

Franzl lui-même avait cessé de taquiner Annel. Et Finnie fumait sans rien dire. Mais la soirée était si belle qu'elle était une excuse à tous les silences. Gilles était parfois comme égaré, hors de lui-même, à mi-chemin du rêve et de la réalité.

En lui disant bonjour, Annel lui avait serré la main très fort; et lui aussi avait serré très fort les petits doigts aux ongles roses et douteux, comme pour un pacte. Depuis elle avait été très gaie.

Et Finnie n'avait fait aucune allusion à la scène de l'après-midi. Elle était comme la veille, à la fois pleine de secret et d'abandon. Elle ne parlait presque pas. Mais dans la voiture qui les menait à Cobenzl, elle avait un moment laissé glisser sa tête sur l'épaule de Gilles, fermé les yeux.

Gilles n'avait rien dit. Il attendait. Il ne savait pas au juste quoi. Mais il était certain que quelque chose allait arriver, à cette espèce de chaleur d'optimisme qu'il sentait passer dans ses veines. Il regardait la boucle pâle du Danube. Et il avait de la joie à penser qu'il vivait une heure approchant de la perfection, dans un paysage d'une beauté unique qu'il ne reverrait peut-être jamais plus.

« Mes enfants, je propose qu'on ne se couche pas cette nuit. L'été va finir. Nous aurons bien le temps de dormir tout l'hiver. »

Franzl avait mangé une énorme quantité de fraises des bois à la crème, bu beaucoup de tokay. Il avait envie de remuer un peu.

« Mais il faut que Finnie dorme », dit Annel étourdiment.

Son amie la regarda.

« Pourquoi faut-il que Finnie dorme? » demanda Gilles avec indifférence.

La petite avait vu le regard de Finnie. Elle balbutia :

« Mais, je... »

Finnie haussa les épaules, imperceptiblement.

« Je dois partir demain.

— Ah! oui », dit Gilles légèrement.

Il tourna un peu son fauteuil pour mieux la voir.

« Vous quittez Vienne, Finnie?

— Oui.

— Peut-on vous demander où vous allez?

— A Prague.

— Est-ce que vous ne viendrez pas un jour jusqu'à Paris?

— J'espère. »

Elle ajouta à voix un peu plus basse :

« On ne sait jamais.

— Ce qui fait que je ne sais pas si je vous reverrai. »

Elle eut encore une fois son brusque sourire.

« J'espère, répéta-t-elle. On ne sait jamais. »

Elle chercha ses mots pour lui demander en français :

« Est-ce que vous restez à Vienne?

— Non. Je pars aussi, demain probablement. Je voulais aller jusqu'à Budapest. Ianosh Ergstein, vous savez, le cousin de mon amie Erika Rousnyak, m'avait beaucoup conseillé d'y aller. Malheureusement, je ne puis pas.

— C'est dommage », dit Finnie en jetant sa cigarette.

Franzl se leva.

« Tu es assommant de partir comme cela. Tu viens à Vienne, et tu repars sans avoir rien vu! Allons recevoir un peu de champagne au Sacher, voulez-vous? Et puis on verra après. »

Ils firent quelques pas à pied en sortant du restaurant qu'on avait installé dans un vieux château. La route, serpentant entre les arbres, découvrait ou cachait les lumières de Vienne, le disque orangé de la lune qui montait dans le ciel pur.

Gilles avait pris le bras de Finnie, marchait lentement auprès d'elle, sans rien dire.

Ce fut elle qui parla.

« Ce n'est pas grave, cette chose qui vous fait partir?

— Si, c'est grave.

— Ah! Pardonnez-moi. »

Elle s'arrêta un instant pour regarder le paysage par une échappée. Quelques secondes à peine. Ils rentrèrent dans l'ombre des arbres.

Le rire d'Annel résonnait à quelques mètres en avant d'eux.

« Finnie, vous parlez si peu... Si vous aviez eu plus confiance en moi, j'aurais eu, moi aussi, plus confiance en vous.

— On ne peut pas toujours.

— Non. Tant pis. »

Il ne voyait presque pas son visage, mais il serrait sa main fine dans la sienne, qu'il sentait souple et vivante.

« Pourquoi partez-vous? demanda-t-elle.

— Parce qu'un ami a besoin de moi. »

Elle ne répondit pas tout de suite.

« Je comprends.

— On lui a volé quelque chose, continua-t-il lentement. Si je ne l'aide pas à le retrouver, il se tuera. »

Eut-elle un frisson? En tout cas, ses doigts tremblèrent un peu dans ceux de Gilles.

« On n'est jamais sûr de ne pas être mort le lendemain.

— C'est une vérité, Finnie. Pourquoi ne dites-vous pas toujours la vérité? »

Elle le regarda dans l'ombre.

« Parce que des amis ont besoin de moi.

— C'est bien, Finnie. »

Il serra plus fort ses doigts qui ne tremblaient plus.

« J'aime bien vous avoir comme ennemie, parce que vous avez du courage.

— Ennemie? »

Il n'y avait presque pas d'étonnement dans sa voix.

Annel et Franzl revenaient vers eux, gaiement.

« Eh bien, les amoureux... On ne va pas marcher comme ça toute la nuit. Reprenons la voiture. »

Ils appelèrent le taxi qui les suivait.

« Sacher... Sacher... », cria Franzl au chauffeur en prenant Annel par le cou.

*

Le jazz avait beau s'évertuer et faire donner son plein à la batterie, il n'arrivait pas à égayer les Américains moroses, à tirer de leur torpeur les clients pas assez nombreux du dancing. Mais Franzl voulut absolument danser, entraîna Annel...

Gilles prit des mains de Finnie le bouquet de cyclamens qu'il lui avait acheté à la porte, tira de la botte légère une seule fleur, le lui rendit.

« Vous savez que je pourrais vous empêcher de partir pour Paris, lui dit-il brusquement.

— Quoi? »

Elle le regardait comme quelqu'un qu'on réveille.

« Oui.

— Je ne comprends pas. »

Sa voix ne tremblait pas. Il y avait même l'esquisse d'un sourire sur sa bouche. Mais elle était un peu plus pâle.

Gilles prit son portefeuille, l'ouvrit, plaça soigneusement la fleur de cyclamen entre deux cartes de visite, et tira à demi un papier plié.

« Excusez-moi. Mais j'ai pris votre billet, tout à l'heure, dans votre sac. »

Instinctivement, elle tendait la main, sans rien dire, comme pour le prendre.

« Et comme vous n'avez peut-être pas assez d'argent... »

Il vit une telle détresse dans son regard, une telle fureur triste qu'il n'acheva pas.

Et soudain, elle retira sa main et se mit à rire. C'était la première fois qu'elle riait. Et cela faisait mal, parce qu'elle riait à la fois de colère, de mépris, de chagrin. De chagrin, surtout.

« Vous volez, dit-elle seulement.

— Oui, je vole quelquefois, dit Gilles avec tranquillité. Mais je rends. »

Il lui tendit le billet plié.

Le jazz enchaînait un blues après un fox-trot. Franzl soufflant et riant s'effondra sur la banquette.

« Je n'en peux plus. »

Mais Annel était lancée maintenant. Elle attrapa la main de Gilles, le tira.

« Vous dansez, vous?

— Mais oui, je danse, petite fille. »

XI

B. O. P.

FRANÇOISE attendait Gilles sur le quai de la gare de l'Est.

« Oh! ça, mon amour chéri, c'est trop beau, c'est trop gentil. »

Il lâcha sa valise, la prit dans ses bras, l'embrassa au nez d'un porteur qui se mit à rire.

Elle avait bien décidé d'être un peu méchante, de le faire un peu enrager, mais elle avait trop de joie de le revoir! Tant pis.

« Comment vas-tu, mon chéri? Comment as-tu fait pour venir? Quand as-tu reçu ma dépêche?

— Hier soir, juste avant six heures. Alors, ce matin, j'ai mis un coton dans ma bouche, comme ça... »

Elle gonflait sa joue.

« J'ai dit que j'avais une fluxion et qu'il fallait que j'aille chez le dentiste! »

Gilles riait.

« Tu es un amour. »

Le porteur avait fini par prendre sa valise, et

il l'avait laissé faire parce qu'il ne voulait pas lâcher le bras de Françoise.

Comme tout était facile en France! Tout le monde parlait français, il pouvait dire ce qu'il voulait; c'était merveilleux.

« Oui, mais toi, tu es un monstre. Partir comme ça, sans crier gare!

— Il fallait bien, Françoise, ma Françoise.

— Ta Françoise! Tu te moquais bien de ta Françoise, quand tu étais à Vienne. »

Ils sortaient de la gare.

« Un taxi, monsieur? demanda le porteur.

— Non, dit Françoise avec autorité. On va prendre un crème, et puis tu me déposeras au bureau. Je n'ai même pas eu le temps de prendre mon café! Maman m'a dit que j'avais le feu quelque part. Et je suis arrivée juste, quand même.

— Mon pauvre chou, tu es fatiguée?

— Non, contente. »

Ils s'assirent à une terrasse.

« Maintenant, raconte. Vienne?

— Magnifique, chérie. J'aurais tellement voulu que tu sois là.

— Oui, on dit ça! Et les Viennoises?

— Ravissantes.

— Qu'est-ce que je disais! Et l'affaire, elle a marché?

— Ça, je ne sais pas.

— Comment, tu ne sais pas?

— Non. Je verrai cela ce soir ou demain.

— Alors, ce n'est pas fini? Ça va recommencer?

— Françoise, sois raisonnable.

— Ah! non par exemple! »

Il regardait avec plaisir le mouvement de

Paris, les autobus, le garçon qui leur servait leurs « crèmes » sans plateau d'argent, sans verre d'eau.

« Si tu savais comme j'ai été dépaysé!

— Oui, tu n'as jamais pensé à moi.

— Tout le temps, chérie. Figure-toi que j'ai fait la connaissance de trois jeunes filles...

— Tu peux reprendre le train, tu sais. La gare est en face...

— Une blonde, une brune, et une rousse.

— Une rousse! c'est le comble. »

Elle avait vraiment l'air fâché. Il lui prit la main sous la table. Quelle douceur de retrouver la peau de Françoise, sa petite chaleur.

« Je te taquine, chou. Mais il y a là-bas une sorte de Luna-Park. Je suis allé dans la Grande Roue, tu sais.

— Non, je ne sais pas. Avale ton crème, j'ai promis d'être au bureau à trois heures. Tu me rendras des comptes plus tard. Je veux que tu me racontes tout, tu sais, tout. »

Quand il la déposa au coin de la rue des Mathurins, il ne lui avait encore rien raconté, parce qu'elle s'était mise contre lui dans le taxi, et qu'ils n'avaient plus eu envie de parler, ni l'un ni l'autre.

*

Gilles trouva Durand rue de Valois.

« Pardonnez-moi, mon vieux. Longtemps que vous êtes là?

— Non, non, une demi-heure.

— Une course à faire en arrivant.

— Alors?

— Je ne sais pas. On ne m'a pas appelé au téléphone?

— Non, pas encore. »

Gilles avait ôté son veston.

« Vous permettez? »

Il passa dans le cabinet de toilette.

« Ce qu'on est crasseux quand on débarque! »

Il ouvrit tout grands les robinets. Il n'y eut plus que le bruit de l'eau pendant quelques minutes.

Durand s'était levé, arpentait la pièce. Il s'arrêta soudain à la porte du cabinet de toilette.

« Enfin, Gilles, dites-moi quelque chose. Où en êtes-vous?

— Comment va Maréchal?

— Mal et bien. Il ne sait pas lui-même. D'une nervosité, je ne vous dis que cela!

— Oui, je pense bien. »

Une sonnerie brève.

Gilles courut à l'appareil, un bras de chemise pendant.

« Allô... Ah! c'est vous, Decroix?... Vous avez pu vous rendre libre, bravo... Oui, excellent... Alors... Vous l'avez reconnue facilement... Directement à l'hôtel... Cecil... Oui, c'est ce que je pensais... Elle y est?... Arrangez-vous avec le standard pour surveiller le téléphone... Et ne la lâchez sous aucun prétexte... Entendu, je ne bouge pas... Appelez-moi chaque fois que vous pouvez... Merci, mon vieux. »

Il raccrocha, enfila la manche de sa chemise, se laissa choir sur son divan.

« Ouf! Ça va mieux. »

Durand reprit son va-et-vient.

« Mon cher, évidemment, cela n'a aucune importance, mais je vous avoue que je ne comprends rien.

— Eh bien, je vais vous faire un aveu, je ne comprends pas grand-chose non plus. »

Durand avait l'air un peu vexé.

« Vous plaisantez, c'est bon signe.

— Je ne plaisante pas. Le tout est de bien savoir l'histoire de la Hongrie.

— Quoi?

— Oui. Vous la savez, vous, l'histoire de la Hongrie?

— Mon Dieu... enfin comme tout le monde.

— Ecoutez, Durand, si ça rate, et nous saurons cela ce soir ou demain, il faudra que vous m'aidiez à sauver Maréchal. Il m'est sympathique, ce garçon! Je ne veux pas qu'il se tue. »

Gilles s'était accroupi devant sa bibliothèque, tirait un tome du Larousse.

La sonnerie du téléphone le fit de nouveau bondir.

« Allô... Oui, c'est moi... Bour, vous êtes un as... Quoi?... Où êtes-vous? Ça, par exemple... Rien, hier?... Bon... au B.O.P... Pour l'amour du Ciel, ne la lâchez pas aujourd'hui... Mais oui, mon vieux, je pense que ce sera fini demain... Je fais un saut là-bas et je reviens... Téléphonez dès que vous pourrez et laissez la commission à la personne qui vous répondra... Oui... oui, vous pouvez... A tout à l'heure... »

Gilles resta quelques secondes immobile, l'œil ailleurs.

« Ah! ça... Ah! ça...

— Qu'y a-t-il? » demanda prudemment Durand.

Gilles se tourna vers lui.

« Vous n'avez rien à faire, hein, mon vieux?

— Si... enfin.

— Non, vous n'avez rien à faire. Vous allez rester assis sagement dans ce bon fauteuil. Ah! ne me dites pas qu'il n'est pas bon. Il faut absolument que je sorte, et il faut absolument aussi qu'on réponde aux coups de téléphone. Alors, vous répondrez quand on sonnera. Ce sera Decroix, vous connaissez, hein, l'inspecteur; ou bien ce sera un nommé Bour. Et vous noterez exactement les communications. Je vous demande pardon, mais...

— Ça va.

— Bon. »

Il alla chercher le volume du Larousse, le lui tendit.

« En attendant, lisez un peu l'article Hongrie. C'est toujours ça de moins que j'aurai à vous expliquer tout à l'heure. »

Durand stupéfait restait sans bouger, le Larousse dans les mains.

Gilles mit une cravate, enfila en hâte un veston.

« Dites donc, Durand, si vous aviez perdu quelque chose, que feriez-vous? »

Durand le regarda un peu ahuri.

« Je ne sais pas, moi, j'irais au commissariat...

— Et savez-vous où le commissaire vous enverrait?

— Au bureau des objets perdus, sans doute.

— Bravo! C'est tout à fait cela. Au revoir, mon vieux, à tout à l'heure. »

La porte claqua.

Marcel Durand resta un bon moment, debout, le Larousse dans les mains.

*

Mais il était assis quand Gilles rentra, une heure après.

« Eh bien, vous avez lu? C'est intéressant, hein? Saint Etienne, Matthias. A propos, j'ai vu son cercueil, à l'empereur Matthias. On reparlera de ça tout à l'heure. Pas de téléphone, mon vieux?

— Si.

— Ah! Decroix?

— Non.

— Bour, alors?

— Non.

— Vous vous moquez de moi?

— Non, c'était une dame. Ou plutôt une demoiselle. Une certaine Françoise... »

Gilles avait l'air incrédule.

« Françoise, c'est une blague?

— Non, elle vous fait dire de venir la chercher, parce qu'elle a téléphoné à sa mère qu'elle vous ramènerait dîner chez elle.

— Chère Françoise, c'est un ange, un amour... »

Gilles envoyait des baisers dans l'air.

« Mon cher, je ne voudrais pas vous froisser, mais entre nous, je crois que l'air de Vienne...

— Délicieux l'air de Vienne. Et les petits pains. Incomparables les petits pains. »

Une sonnerie l'arrêta net.

« Allô... Bour?... Elle est rentrée?... Parfait, mon bon. Ne bougez pas... Ah! Ah! Deux... Epatant, Bour, vous avez l'œil... Prévenez-moi au moindre mouvement. »

Durand avait renoncé à comprendre. Il ne demanda rien.

« Voyons, qu'est-ce que nous disions? Ah! oui, les petits pains... Quelle heure est-il? Cinq heures... Que diriez-vous d'une bonne tasse de thé... Il doit bien rester des biscottes. »

Il était déjà en route vers la cuisine quand une autre sonnerie interrompit son mouvement.

« Diable! qui cela peut-il être? »

Durand étendit le bras vers le téléphone.

« Non, non, c'est à la porte. Mon bon, soyez gentil, voyez donc... Je ne voudrais pas qu'on me dérangeât aujourd'hui. »

Docilement, Durand alla ouvrir, revint.

« Un télégramme. »

Gilles éclata de rire.

« Je suis sûr que c'est... »

Il fit sauter la petite bande bleue, déplia la dépêche.

« Ça y est... : « Ami retrouvé Budapest. » Ce bon Boudier! Il doit être bien content... N'empêche qu'il faudra que je sache un peu ce qu'il y a dessous ce lascar-là! »

Le journaliste n'en pouvait plus de curiosité rentrée.

« Qu'est-ce que c'est maintenant que ce Boudier?

— Le secrétaire perpétuel de la Société d'Archéologie du Centre, et un membre éminent de l'Académie des Etudes historiques de la Nièvre. Par ailleurs un fort charmant et fort savant homme. Voyons, ces biscottes...

— Mon cher, je vous jure que si vous m'avez fait venir pour vous payer ma tête... Ah! zut... »

Le téléphone sonnait encore une fois.

« Allô... Oui, c'est moi, Gilles... c'est vous Decroix... Oui... Pas sortie?... Bon... Elle a appelé deux fois?... Quel numéro?... Attendez, je note... »

Il attrapa un bloc sur la table, un crayon.

« Vous dites Auteuil 20-47, 4 et 3... Vous avez pu... bravo... Ce soir?... »

Durand lut un éclair de triomphe dans les yeux de Gilles.

« Ça va, ça va », pensa-t-il. Il était décidé à ne plus rien dire, à ne plus poser une seule question.

Gilles téléphonait toujours.

« Eh bien, Decroix, je pense que nous nous retrouverons là-bas... Ne la perdez pas de l'œil surtout. Entendu... merci, mon vieux. »

Cette fois, Gilles raccrocha plus lentement. Il resta pensif quelques instants, vérifia un numéro avec soin dans l'annuaire du téléphone.

« C'est bien cela. »

Il avait l'air abattu soudain, presque triste.

« Je vous demande pardon, Durand. Il faut que je réfléchisse un moment.

— Faites, faites. »

Il alluma une cigarette, se mit à fumer silencieusement.

Durand regarda sa montre.

« Quelle heure? demanda Gilles.

— Cinq heures et quart.

— Bon. Eh bien, on va prendre le thé, mon vieux. Vous avez le temps, hein?

Il sortit pour mettre l'eau à chauffer, revint avec des tasses, une boîte de biscottes.

« A quelle heure Maréchal rentre-t-il chez lui?

— Six heures et demie, sept heures.

— Vous avez son numéro?

— Oui, je devais lui téléphoner.

— Alors, c'est parfait. Vous allez lui dire d'être

à onze heures devant la Coupole. Onze heures précises, hein, pas de blague. D'ailleurs, vous viendrez avec lui, je compte sur vous.

— Entendu. »

Il tenait ses tasses en équilibre.

« Pauvre Maréchal, ça va être dur! »

Une petite cuiller tomba. Il tressaillit.

« Durand, nous allons parler d'autre chose, hein. On verra ça ce soir. Je crois que l'eau bout. »

XII

ERIKA

A ONZE heures moins cinq, Gilles aperçut, de la terrasse, le petit roadster vert qui manœuvrait dans la file des voitures.

Comme pour qu'il puisse mieux la reconnaître, Erika portait la même robe de jersey jaune. Elle passa à quelques mètres de lui, entra dans la Coupole.

Il fit un signe imperceptible à un garçon, un clin d'œil.

A onze heures moins deux, il reconnut, dans le flot des promeneurs, une silhouette mince, un peu hésitante. La petite toque de plumes lisses. Une seconde, il vit la bouche carrée dans le visage gris. Il baissa la tête. Finnie ne trouvait pas l'entrée du premier coup, passait entre les tables à trois pas de lui.

Le garçon revenait. Gilles fit un petit mouvement de tête, acheva de boire son café.

« Rebonjour, mon vieux.

— Bonjour. »

Une main fiévreuse, un peu moite, serrait la sienne.

Maréchal avait maigri pendant ces trois jours. Il avait l'air beaucoup plus myope. Et pourtant, il fixait sur Gilles une prunelle large, durcie, presque métallique.

Un regard qui s'appuyait sur lui, comme la première fois qu'ils s'étaient vus. Gilles eut encore une fois l'impression que ce grand corps allait tomber, s'il détournait les yeux des siens.

Maréchal se taisait.

« Je crois que tout est bien », dit seulement Gilles.

Il essayait de discerner ce qui dominait l'officier. L'angoisse, la joie?

Le garçon s'approchait. Il hésita, voyant que Gilles n'était pas seul. Sur un signe, il approcha, lui murmura à l'oreille :

« La première, troisième table au fond à droite. La seconde, deuxième table en face. »

Gilles remercia d'une inclination de tête.

Maréchal l'observait avec inquiétude.

« Voulez-vous prendre cette table et m'attendre un moment tous les deux. »

Gilles fit le tour de la terrasse, entra par l'autre porte.

Il allait doucement, comme au hasard. Il avait un complet sombre, un feutre foncé. Il ne voulait pas qu'Erika puisse le reconnaître. Finnie lui tournait le dos. Il s'assit.

Cela lui parut très long.

Erika buvait tranquillement, un gin-fizz peut-être. Gilles reconnut son porte-cigarettes. Elle avait un grand sac à main en crocodile devant elle. Elle était couleur de rose et de fumée, comme le soir du Viking.

Finnie, immobile, fumait. Il voyait sa nuque mince, et sa main qui portait sans cesse la cigarette vers les lèvres, calmement. Il pensa que cette main avait tremblé dans la sienne au Cobenzl, deux soirs auparavant. Il ferma les paupières une seconde pour revoir les arceaux de roses, la lune ronde, la boucle pâle du Danube...

Très près d'elle, il y avait deux hommes à une table, qui le regardaient de temps en temps. C'est vrai. Il les avait oubliés. Bour et Decroix s'étaient rejoints. Ils attendaient eux aussi. Un signe de lui.

Gilles buvait un second café. Depuis combien de temps était-il là? Très longtemps sûrement. Il regarda l'heure à son poignet.

Onze heures dix.

Il n'y avait rien à faire qu'à attendre. Maréchal attendait lui aussi, à la terrasse. Pauvre Maréchal!

« J'aime mieux la solution du revolver... J'aime mieux la solution du revolver... »

Gilles entendait la phrase dans son oreille, comme un bourdonnement.

Hélas! Comment faire?... Le sauver malgré lui-même, d'abord. Après on songerait à le sauver de lui-même.

« J'aime mieux... »

Enfin!

Erika s'était levée. Tranquillement, elle prit son sac à main, laissa sur la table son porte-cigarettes, son briquet comme pour retenir sa place.

Le lavabo.

Gilles n'avait pas pensé à cela.

Il sentit les regards de Decroix et de Bour qui se posaient sur lui. Il ne bougea pas.

Une ou deux minutes passèrent.

Finnie elle aussi se leva, repoussa légèrement la table qui était trop près de la banquette, se dirigea vers la toilette.

Gilles, une seconde, détesta ce qui allait se passer.

Il y avait toujours ce bourdonnement dans son oreille, mais il ne distinguait plus les mots. Maréchal devait trouver le temps bien long. Et Durand, donc, qui n'y comprenait rien.

Déjà Erika revenait, de son pas tranquille, souple.

Qui pouvait remarquer, si ce n'est Gilles, qu'elle ne portait plus le sac de crocodile, mais un sac plus petit, un sac qu'il avait ouvert déjà, l'avant-veille, à deux mille kilomètres de la Coupole?

Gilles se leva rapidement, gagna la terrasse.

« Mme Rousnyak est seule à une table du fond, à droite. Vous devriez aller la saluer et causer un peu avec elle. »

L'œil de Maréchal lui fit peur.

« Allez, allez », dit-il durement.

Il le laissa prendre queques mètres d'avance, entra à son tour.

Finnie était de nouveau à sa table, elle aussi. Il alla droit vers elle, franchement.

« Comme Vienne est près de Paris, Finnie. »

Elle réprima un petit cri. Un pauvre sourire tenta de masquer la déroute de son visage.

« Vous permettez? »

Il s'assit à côté d'elle.

A quoi bon feindre, biaiser?

« Vous auriez peut-être pu éviter cela, Finnie.
— Je ne comprends pas.
— Finnie, ce que vous faites en Hongrie ne me regarde pas. Mais ce que vous faites en France... »
Du coin de l'œil, il voyait Maréchal et Durand qui causaient avec Erika Rousnyak, à quelques pas de lui.
Il parlait très bas.
« Ma petite Finnie, j'aurais pu vous empêcher de venir. Vous souvenez-vous que je vous ai rendu ce que j'avais pris dans votre sac? »
Elle ne se défendait plus, elle regardait droit devant elle, et elle continuait de fumer machinalement, comme le soir du Renaissance.
« Ça manque de tziganes, n'est-ce pas, aujourd'hui. Enfin... Finnie, écoutez-moi. Vous allez me donner simplement ce qu'il y a dans le sac que vous venez de changer au lavabo. »
Les douces mains longues se crispèrent.
« Ne bougez pas. Il y a deux inspecteurs à dix pas de vous, qui sur un signe de moi... Faites ce que je vous dis. Et puis nous nous dirons adieu, tranquillement ou peut-être au revoir. Et demain vous repartirez pour Vienne. Je vous donne ma parole que personne ne sera inquiété; personne, vous comprenez. Annel sera bien contente de vous revoir, saine et sauve, et Maridi, qui doit vous attendre aussi derrière sa petite fenêtre, en face de la *Dreimädelhaus.* »
Il parlait aussi doucement qu'il pouvait, presque tendrement à son insu.
Erika Rousnyak, en face d'eux, les regardait avec une inquiétude qu'elle masquait à peine, répondant par monosyllabes à ce que lui disait

Maréchal. Peut-être attendait-elle un signe, un appel de Finnie.

Mais Finnie ne levait pas les yeux vers elle.

« Sortons, dit-elle soudain à voix basse.

— Si vous voulez », dit Gilles.

Elle se leva comme un automate, traversa la salle. Gilles la suivait. Il sentait qu'elle allait tomber, la rejoignit, passa son bras sous le sien. Il eut encore une fois son poids contre lui.

A quoi pensait-elle? Elle le regarda, soudain avec son brusque sourire.

Dehors, ils furent un instant mêlés au remous des passants, presque bousculés. Il s'arrêta.

Sans un mot, elle lui tendit le sac de crocodile.

Rapidement, il prit une grande enveloppe pliée, la glissa dans la poche de son vêtement, fit claquer le fermoir.

Il l'avait lâchée un instant. Elle vacilla, presque emportée par le courant de la foule.

Il la soutint, siffla un chasseur.

« Taxi. »

Il la fit monter dans la voiture, mit le sac sur ses genoux.

« Adieu, Finnie. Dites bonjour aux colombes de la Maison des Trois Jeunes Filles. »

Elle ne bougeait plus, la tête droite.

Et Maréchal, là-bas?

Il ferma la portière.

« Chauffeur, au Cecil Hôtel. »

*

En passant devant leur table, Gilles se pencha vers Decroix et Bour.

« Vous pouvez filer, mes amis. C'est fini. Je vous remercie.

— Content, patron?

— Très content, mon vieux. A demain. »

Erika était assise entre les deux hommes. Personne ne disait plus rien. Elle ne bougea même pas quand Gilles vint s'asseoir en face d'eux.

Maréchal tenait le bord de la table à deux mains, si fortement que ses doigts étaient blancs.

« Madame, ne vous inquiétez pas, je vous prie. Votre amie est dans un taxi qui la reconduit à l'hôtel Cecil. Elle partira demain pour Vienne. J'y veillerai. D'autre part... »

Il regardait Maréchal.

« ... Je lui ai fait la promesse que personne n'aurait d'ennuis. Cette affaire reste absolument entre nous. Comme si elle n'avait pas été. Vous me comprenez? »

Il y eut un silence.

Les lèvres de Maréchal remuaient, répétaient le même mot, comme les lèvres de quelqu'un qui prie.

On entendit, comme un souffle :

« Erika... Erika... Erika... »

Gilles ne savait plus que faire.

Mme Rousnyak soudain parla.

« Vous avez... »

Gilles sortit l'enveloppe de sa poche. Elle la prit, la posa sur la table devant Maréchal, entre ses deux mains qui serraient la table si fort qu'elle tremblait.

« Jean, ce n'était pas pour moi. C'était pour la Hongrie. »

L'avait-il entendue?

Ses lèvres continuaient de bouger.

« Erika... Erika... »

Elle fit un signe à Gilles.

« Il faut que je lui parle. Allons chez moi.

— Bien », dit Gilles.

Elle se leva, ramassa ses cigarettes, son briquet.

« Tu viens, Jean? »

Il ne bougea pas.

« Voulez-vous l'emmener? » demanda-t-elle à Durand.

Elle désigna Gilles.

« Je prendrai monsieur dans ma voiture. »

Elle regarda un instant Maréchal qui semblait ne rien voir, ne rien entendre.

« Passons devant », dit-elle à Gilles.

Ils s'éloignèrent.

Gilles sentait qu'Erika faisait ce qu'il fallait faire.

Durand prit Maréchal sous le bras, le souleva. Il restait cramponné à la table. Il dut lui desserrer les doigts, l'un après l'autre, presque le porter.

Autour d'eux, les gens riaient.

« Je crois qu'il a son compte, celui-là! »

Le rire gagna de proche en proche, grandit.

Un garçon courait après eux.

« Monsieur, monsieur, vous avez oublié... »

Il brandissait l'enveloppe en riant, lui aussi...

Alors Maréchal se redressa.

Il regarda autour de lui, comme s'il sortait d'un cauchemar, vit ce rire sur tous les visages. Son regard durcit.

« Merci, mon ami. »

Il fouilla dans sa poche, tendit un billet au garçon.

« Vous venez, Durand? »

*

Dans le roadster découvert, le vent rafraîchi par la vitesse sécha la sueur sur le front de Gilles.

Erika conduisait vite, sûrement.

« Quel cran! » pensa Gilles avec un peu d'admiration.

Elle était très belle, avec tous ses cheveux rejetés en arrière, cette couleur qui semblait émaner d'elle, qui persistait autour d'elle, même dans l'ombre.

« C'est de lui qu'il faudra s'occuper, maintenant, monsieur.

— Il se serait tué, madame.

— Peut-être. Et maintenant? »

Gilles ne répondit pas, et elle ne dit plus rien jusqu'à la rue Erlanger.

Le taxi suivait derrière, s'arrêta quelques secondes après eux.

Ils entrèrent tous les quatre, traversèrent un jardin que la nuit agrandissait.

L'atelier s'éclaira.

Maréchal marchait seul, maintenant, très droit. Il resta debout.

Erika sortit d'un petit meuble un plateau, une pipe, une petite lampe.

« Je vous demande pardon, messieurs. Il est *nyen*. Il a beaucoup fumé ces jours-ci, beaucoup trop. Il a besoin d'opium. »

Gilles s'approcha d'elle.

« Madame, nous n'avons plus... »

Elle comprit.

« Non, non, je vous en prie, restez. J'ai quelque

chose à dire à Jean, et je souhaite que vous l'entendiez.

— Vraiment...

— Je vous en prie. »

Elle était absolument maîtresse d'elle-même, très calme.

« Asseyez-vous. Ou plutôt, étendez-vous, le divan est large. »

Elle alluma la petite lampe, s'assura que le fourneau adhérait bien à la pipe, prit une goutte de drogue, l'exposa à la chaleur de la flamme. L'odeur « pareille à nulle autre » que Gilles avait décelée dès sa première visite à la rue Descombes, commença de se répandre.

« Allonge-toi, Jean. »

*

Il y avait une demi-heure qu'elle parlait. Peut-être plus.

Elle ne parlait pas d'elle-même; elle parlait de son pays mélangé avec son enfance. Sa voix chantante roulait sur les volutes de fumée noire, évoquait des paysages, des tableaux qui prenaient une valeur singulière.

Elle continuait de faire des pipes. Une pour Jean, une pour elle. Elle était tournée vers lui, étendu de l'autre côté du plateau.

Gilles et Durand ne voyaient pas son visage, mais seulement les ombres de ses gestes portées sur le plafond, comme des chauves-souris silencieuses, qui voletaient.

Et ce n'était pas pour eux qu'elle parlait, mais

pour lui seul. Ils étaient seuls tous les deux, merveilleusement, dans une maison de fumée.

« L'année de mes treize ans, on me choisit pour être la « Reine de la Pentecôte ». On m'habilla d'un merveilleux costume, on mit sur mon front une couronne de perles. J'étais couverte de rubans et de fleurs. Toutes mes petites compagnes me servaient de dames d'honneur, et nous allâmes par tout le village, selon la coutume, récitant de vieux couplets. J'étais folle d'orgueil et de joie, tu comprends, Jean. Avant la fin de la fête, on me souleva à bout de bras, le plus haut possible, au-dessus des autres, en criant : « Que votre chanvre pousse « jusqu'à cette hauteur. » C'est une superstition et l'on croit que plus la petite Reine de la Pentecôte a été soulevée haut, plus le chanvre poussera. Mais moi, je me moquais du chanvre. Je ne pensais qu'aux mots : « ... jusqu'à cette hauteur ». Je les ai gardés pour devise. »

Gilles n'était pas toujours sûr de ne pas rêver. Mais comment interrompre cette femme, cette nuit qui paraissait ne jamais devoir finir?

Maréchal n'avait pas dit un mot. S'il n'avait pas eu les yeux ouverts, on aurait pu croire qu'il dormait.

« Jusqu'à cette hauteur. » Tu sais ce qu'est devenue la Hongrie après la guerre, après le traité de Trianon? Nous étions quelques-unes, quelques-uns, follement jeunes, qui ne pouvions pas supporter cela. La plupart de nos parents étaient morts pour la cause de la Hongrie et celle du roi. Nous jurâmes de faire échouer la révolution, de rendre à la Hongrie ses frontières, de ramener les souverains légitimes. Nous mîmes en commun nos fortunes ruinées. Nous conspirions comme des enfants. Mais le temps passa qui faisait de nous tous des femmes et des hommes... »

« Si Boudier était là... », pensait Gilles.

« Finnie et Annel restèrent d'abord en Hongrie, Maridi partit pour Vienne, moi pour Paris. Ianosh faisait l'agent de liaison. Jean, tu sais que je t'ai aimé tout de suite, tu sais que je t'ai aimé comme jamais aucune femme ne t'aimera. »

Elle avait cessé de fumer. Elle était étendue, et elle avait l'air de parler au destin.

« Tu as cru que je cessais de t'aimer parce que je t'ai quitté. Quelle folie, Jean! Mais tu ne me quittais presque pas. Et d'autres étaient venus avec nous. Ce que nous avions entrevu comme un rêve, se matérialisait, les conditions du pays changeaient. J'avais besoin d'une liberté absolue pour accomplir une tâche dans laquelle je ne pouvais pas t'entraîner. « Jusqu'à cette hauteur », tu comprends? Je me devais à tous ceux qui avaient eu confiance en moi. J'ai souffert, Jean, beaucoup plus que toi. Mais je savais que tu ne changerais pas, que tu continuerais à m'aimer malgré tout. Que je te retrouverais... »

Pour la première fois, sa voix fléchit, faillit se briser sur un sanglot.

Elle se tut quelques instants.

Et puis elle se tourna vers lui :

« Ne me diras-tu rien, Jean? »

Mais Maréchal ne bougea pas.

« Pourquoi j'ai fait cela? Pourquoi je t'ai volé, Jean, sais-tu pourquoi? Parce que le plus grand obstacle à la réussite de notre plan, au retour de l'impératrice, c'était la peur de la guerre. Le peuple chez nous a tant souffert que sa foi mystique ne suffit plus à lui donner le courage de combattre. Quand tu m'as dit que tu avais ce secret d'un gaz qui assurerait au pays qui le posséderait une force supérieure à toutes les autres, j'ai su tout à coup ce que nous en pourrions tirer, ce que l'assurance d'une telle arme ferait pour notre cause, si la guerre était inévitable. Ianosh était justement à Paris. J'avais ta clef... ma clef. Je lui ai téléphoné. Le lendemain, il est venu me voir; il était très inquiet. Un vieil homme bizarre le suivait depuis quelque temps, s'attachait à ses pas. Il l'avait revu le jour même. Il n'osait pas voyager avec un document de cette importance et un homme à sa suite. C'est moi qui ai eu l'idée de mettre le dossier dans un sac, de le porter aux « objets perdus », pensant que c'était l'endroit du monde où l'on irait le moins le chercher. Et Ianosh est parti pour Vienne afin d'envoyer Finnie chercher le document. Voilà, Jean. Ne me diras-tu rien? »

Gilles n'avait pu s'empêcher de se soulever sur un coude. Il regardait Maréchal immobile et le visage d'Erika, cerné d'un trait d'or par la lumière de la lampe.

Il y eut un silence que personne n'osait rompre. Le petit jour pâlissait vaguement la verrière de l'atelier.

Combien de temps dura ce silence, ni Gilles ni Durand n'auraient pu le dire.

Une fois encore, la voix de la jeune femme s'éleva.

« Pardonne-moi, Jean. »

Alors, ce fut très rapide.

Erika se tourna vers Gilles et Durand.

« Il ne me pardonnera pas », cria-t-elle.

Il y avait une telle flamme d'amour et de désespoir répandue sur ses traits qu'elle ne semblait plus une créature humaine.

Elle s'élança hors du divan si violemment qu'ils n'eurent pas le temps de faire un geste, traversa l'atelier en courant, disparut derrière une tenture.

Gilles bondit à son tour. Trop tard.

Un claquement sec. Le bruit d'un corps qui tombe.

Maréchal se dressa tout d'une pièce.

Ses yeux tournèrent autour de l'atelier, comme s'il cherchait quelque chose qu'il ne pouvait pas voir, qu'il ne verrait plus jamais.

Un hurlement rauque sortit de sa gorge.

« Erika... »

Il fit un pas ou deux, retomba sur le divan.

Gilles revint vers lui, prit son poignet. Le pouls battait faiblement.

La verrière laissait tomber un peu d'aube sur son front.

« C'est bien », dit Gilles.

TABLE

BRODARD ET TAUPIN — IMPRIMEUR - RELIEUR
Paris-Coulommiers. — France.
06.299-I-7-1096 - Dépôt légal n° 4557, 3e trimestre 1965.
LE LIVRE DE POCHE - 4, rue de Galliéra, Paris.